QUE SAIS-JE ?

La bibliologie

ROBERT ESTIVALS
Professeur à l'Université Bordeaux III

A la mémoire de Gabriel Peignot

« Tout mon enseignement et mes travaux divers convergèrent vers ce but. Je déclinai ce qui s'en écartait... Je ne réclame rien. »

Jules Michelet
(Histoire de France).

ISBN 2 13 040191 0

Dépôt légal — 1re édition : 1987, octobre

108, boulevard Saint-Germain, 75006 Paris

INTRODUCTION

Cet ouvrage constitue le premier essai de théorie générale de la bibliologie depuis G. Peignot au début du XIXe siècle et P. Otlet entre les deux guerres. Il s'efforce d'en renouveler complètement la perspective. Il vise à faire de la bibliologie, la science de l'écrit, l'une des sciences de l'information et de la communication.

La composition de l'ouvrage est celle de toute théorie générale. Le premier chapitre montre comment la bibliologie s'est dégagée de la bibliographie. Le second pose la question de l'objet de cette science. Le troisième situe la bibliologie dans la communication. Le quatrième est consacré à l'émission de l'écrit. Le cinquième chapitre aborde la question des écrits. Leur typologie met en évidence l'existence de chaînes différentes : écrit manuscrit, imprimé non périodique et périodique, documentaire et institutionnel, lumineux et informatisé. L'inventaire et la classification des écrits font intervenir la bibliographie. La systémique doit permettre de rendre compte de leur création.

Le dernier chapitre est consacré à la politique bibliologique. Il met en valeur la relation entre l'art du signe et la science de l'écrit : il montre la nécessité d'un schéma bibliologique pour faire l'inventaire des sciences de l'écrit et faciliter leur description. La théorie de la schématisation donne à la bibliologie son épistémologie. La bibliométrie est présentée comme la méthode spécifique de la bibliologie. Enfin ce chapitre pose les problèmes de la bibliologie appliquée, de l'enseignement de l'écrit et de la coopération internationale.

CHAPITRE PREMIER

L'HISTOIRE DE LA BIBLIOLOGIE

La bibliologie apparaît à la fin du XVIIIe siècle. Elle évolue à travers les XIXe et XXe siècles. De science du livre elle devient la science de l'écrit. Comment expliquer son origine et ses transformations ?

I. — L'histoire sociologique de la bibliologie

C'est à l'histoire d'une science, expliquée par le cadre social, qu'il faut s'adresser pour connaître et rendre compte de ses changements. C'est au Belge Paul Otlet que l'on doit, semble-t-il, la première interrogation sur l'histoire de la bibliologie (1). Appliquant la théorie comtiste de l'histoire des sciences à l'histoire de la bibliologie, Paul Otlet décompte quatre périodes (2).

La longue période de l'histoire de l'écrit paraît devoir être réduite à trois phases principales (3) : celle de la technique d'écriture et de l'apparition des productions d'écrits ; celle de la bibliographie ; enfin celle de la bibliologie. Avec ces trois étapes on retrouve le schéma classique de l'évolution des sciences : constitution des phénomènes sociaux ; description de ceux-ci ou graphie ; explication, science ou logie. Ces

(1) P. Otlet, *Traité de documentation, le livre sur le livre, théorie et pratique*, Bruxelles, Van Keerberghen, 1934.
(2) *Ibid.*
(3) R. Estivals, *La bibliologie*, t. 1 : *La bibliométrie*, Paris, SBS, 1979.

trois périodes naissent l'une de l'autre. Au moment où la problématique de la phase précédente a trouvé sa solution elle engendre la suivante. Ces périodes ne s'éliminent pas. Elles se superposent. Le seuil entre la première et la seconde correspond, pour l'essentiel, à l'Antiquité ; la Révolution française sépare la seconde de la troisième. Chaque période peut être subdivisée. La première se situe dans le secteur de la production ; la seconde dans celui de la distribution ; la troisième embrasse l'ensemble.

1. **L'âge de la production des écrits et de la technique d'écriture.** — La première période correspond à l'apparition des écrits. A l'origine l'homme utilise la langue, la parole et le geste. Des besoins nouveaux apparaissent dans les sociétés plus avancées. Il faut fixer la pensée pour des raisons religieuses, politiques, économiques et lui faire traverser l'espace et le temps. Il faut donc inventer les langages iconiques et graphiques. L'homme est obligé de s'interroger sur la méthode à suivre. Le scribe pose le problème des techniques d'écriture. Il le fait par une conscientisation progressive de l'amont psycholinguistique de l'écrit : les images mentales, les concepts, la langue et la parole. Ce processus se développe par une théorisation progressive de la technique d'écriture en trois périodes : la pictographie des « primitifs » ; l'idéographie des sociétés préclassiques (Chine, Mésopotamie, Egypte) ; le phonétisme qui s'ouvre sur l'alphabet, en Phénicie et en Grèce, peu avant et pendant le Ier millénaire avant Jésus-Christ. Cette progression théorique se manifeste par une schématisation, une réduction, une simplification de plus en plus poussée. Celle-ci concerne le nombre des signes qui passent de l'infini à une trentaine de lettres. Elle s'applique au tracé des signifiants qui évolue de la figuration à la géométrisation. Cette maîtrise de la technique d'écriture, acquise progressivement, permet de produire des documents.

2. **L'âge de la bibliographie.** — La seconde période correspond à l'âge de la bibliographie. L'interrogation ne porte plus sur l'écriture et la production de l'écrit. De la linguistique elle passe à la bibliothéconomie et à la philosophie. De la production, la réflexion se déplace vers la distribution. Le seuil entre ces deux périodes correspond à la fin des grands empires préclassiques et à l'Antiquité gréco-romaine.

La question posée est alors celle de la communication des écrits. A mesure que la production augmente son accessibilité directe diminue. Il faut donc trouver une solution. Celle-ci fait intervenir plusieurs opérations : il faut acquérir, faire l'inventaire, décrire, classer les textes en fonction d'une théorie de la connaissance : les conserver en les localisant sur des rayons, organiser leur communication. Pratique de bibliothécaire et philosophie ont partie liée.

Comme la technique d'écriture, la technique de la bibliographie est passée par plusieurs phases orientées vers la théorisation. La première est d'abord concrète et de nature bibliothéconomique. Elle concerne les dépôts d'archives et les premières grandes bibliothèques. Elle se résout par l'apparition des catalogues à Ninive dans la bibliothèque de Sargon II et d'Assourbanipal (— 668 - — 624) ; dans celle des pharaons et, enfin, à la bibliothèque d'Alexandrie (— 300) grâce aux travaux de Callimaque de Cyrène (mort en — 235) et de Canon Alexandrinus.

La seconde phase couvre la fin de l'Antiquité et le Moyen Age. Elle est caractérisée par les bio-bibliographies. Il s'agit de décrire la vie des auteurs et de dresser la liste de leurs ouvrages. L'exemple classique est celui du médecin Claude Gallien, au IIe siècle, avec son *De libriis propriis liber*.

La troisième phase correspond à la naissance et au développement de la bibliographie. En Occident elle commence quelques décennies après l'invention de l'imprimerie par Gutenberg. Si l'on suit L.-N. Malclès on peut reconnaître quatre époques successives :

celle des nouvelles bibliographies, à la fin du xve siècle ; la bibliographie historique et savante, du xvie au xviiie siècle ; la période bibliophilique de 1763 à 1810 environ ; la période technique et professionnelle, depuis 1810 (4).

La quatrième phase correspond à la théorisation de la bibliographie. Celle-ci semble s'être développée en plusieurs étapes : la définition de la discipline ; la détermination de son objet d'étude ; sa situation dans un ensemble plus vaste ; sa description et son explication. Cette dernière étape est en cours.

Dès la Renaissance on commence par saisir intuitivement que la catégorie de documents ainsi produits doit trouver une définition générique. Comme toujours en pareil cas on a tendance à prendre la partie pour le tout. On donne alors à la bibliographie des noms différents : *bibliotheca*, *index, inventorium, repertorium, catalogus*. Selon les cas on insiste davantage sur l'un ou l'autre des critères constitutifs de la bibliographie. Cette recherche inductive d'une définition trouve enfin sa solution entre 1633 et 1762. La première de ces dates correspond à l'action de Gabriel Naudé, secrétaire et bibliothécaire du cardinal Mazarin. Il rédige sa *Bibliographia politica* ; la seconde, à l'intervention de l'Académie française qui, dans la quatrième édition de son dictionnaire, fait une place au terme bibliographie.

Le choix du mot renvoie à sa définition. Celle-ci évolue à travers les xixe et xxe siècles. Pour Charles Mortet, en 1869, la bibliographie comprend l'étude des instruments d'information, celle des traits caractéristiques du livre à travers son évolution, la recherche enfin des règles de bibliothéconomie. La position de Langlois, au début du xxe siècle, réduit la bibliographie aux répertoires. Celle de Caron la limite aux livres. La position de L.-N. Malclès reste

(4) L.-N. Malclès, *La bibliographie*, coll. « Que sais-je ? », Paris, PUF, 1962 ; *Manuel de bibliographie*, Paris, PUF, 1963.

principalement technique. Son objectif est « le recensement des textes imprimés ».

A mesure, que la définition du mot bibliographie se précise, sa relation avec la bibliologie s'impose à la réflexion. Il faudra attendre, en France, près d'un siècle et demi. Dès la fin du XIXe siècle, alors que la bibliographie est enfin reconnue, on tend à la confondre avec la bibliologie dont l'idée naît avec la Révolution française. Le XIXe siècle est marqué par la confusion et les hésitations. C'est tardivement, en 1934, que les conceptions des deux termes sont clairement différenciées et que leurs relations sont établies : la bibliographie est une partie de la bibliologie. Ce fut l'apport des discussions organisées par le *Centre de Synthèse historique* (5). Néanmoins dans certains pays, comme en Grande-Bretagne, le terme de *bibliography* couvre encore le sens des deux mots.

La situation étant établie, l'élaboration d'une théorie générale de la bibliographie devenait nécessaire. Elle est, aujourd'hui, engagée dans plusieurs directions. La première concerne son histoire. Les observations de L.-N. Malclès valent encore : cette partie de la théorie de la bibliographie est loin d'être achevée.

Le second élément du système porte sur la philosophie de la bibliographie. Les livres constituent la mémoire de l'humanité. La classification des documents écrits doit avoir recours à la théorie de la connaissance. La mémorisation scripturale du savoir humain comme sa classification relèvent de l'épistémologie. Cette problématique fut abordée par G. Varet (6).

La conjonction de l'histoire et de la philosophie débouche sur la sociologie historique de la connais-

(5) P. Frieden, V. Bibliographie, étymologie et histoire du mot, *Revue de synthèse*, 1934, p. 45-52.

(6) G. Varet, *Histoire et savoir. Introduction théorique à la bibliographie. Les champs articulés de la bibliographie philosophique*, Paris, Les Belles-Lettres, 1956.

sance écrite grâce à la bibliographie. L'évolution de la production manuscrite et imprimée permet de suivre l'histoire intellectuelle de l'humanité. La quantification de la bibliographie en offrira la possibilité méthodologique. Commencée avec G. Peignot, renouvelée par Röthlisberger puis par V. Zoltowski elle trouvera sa théorie grâce au terme de bibliométrie inventé par Otlet et repris depuis (7).

Une quatrième partie de cette théorie générale étudie la sociologie de la bibliographie. Celle-ci a pour but de rendre compte des catégories successives de bibliographies, de leurs techniques, de leurs classifications, de leurs formes, par l'étude de l'évolution des sociétés qui leur ont donné naissance (8).

Cette théorie générale de la bibliographie constitue aujourd'hui l'une des parties de la bibliologie. Sa problématique est éclairée par le développement des sciences de l'information et de la communication. L'intervention du concept de système de communication, particulièrement écrite, permet, de plus, de lui assigner sa place dans la théorie de la bibliologie.

La bibliographie constitue, sur le plan historique, la première phase, de nature descriptive, de la constitution d'une science de l'écrit ou bibliologie.

Sur le plan synchronique sa nature et sa fonction dépendent de sa situation dans le système de communication. Elle a pour but de faciliter la distribution des écrits. Elle se situe donc entre la production (auteurs, éditeurs, imprimeurs, écrits imprimés) et la consommation (lecteurs, chercheurs d'information). Dans le secteur de la distribution, la bibliographie et les diverses catégories de répertoires bibliographiques viennent en appui aux institutions (maisons d'éditions, librairies et sociétés de diffusions, biblio-

(7) R. Estivals, *La bibliométrie bibliographique*, Lille, Service de reproduction des thèses de l'Université de Lille, 3, 1971.

(8) R. Estivals, *Le livre dans le monde. Introduction à la bibliologie politique*, Paris, Retz, 1983.

thèques), comme méthodologie de communication et de conservation des écrits.

Cette théorie de la bibliographie en cours d'élaboration joue donc, pour l'âge bibliographique, un rôle de même nature que la théorie de l'écriture pour la période d'apparition des écrits.

3. **L'âge de la bibliologie.** — La bibliographie n'explique pas les documents qu'elle répertorie et classe. Cette position est normale si l'on se réfère à l'histoire des sciences. Ici comme ailleurs, si les phénomènes renvoient, dans un premier temps, à leur inventaire et à la création d'une typologie, il arrive un moment où l'esprit éprouve le besoin d'aller plus loin, de comprendre et d'expliquer. Dans le domaine de l'écrit, c'est le rôle de la bibliologie.

L'histoire de la bibliologie recouvre les XIXe et XXe siècles. Elle se développe en même temps que la société contemporaine industrielle. On peut dire que chaque demi-siècle aura été caractérisé par une orientation nouvelle. Ses quatre tendances se regroupent deux par deux, couvrant ainsi deux phases séculaires. Le XIXe siècle est principalement marqué par la naissance et le développement d'une bibliologie descriptive quand le XXe siècle est parcouru par une volonté de créer une bibliologie scientifique.

Le premier, semble-t-il, a avoir présenté une théorie de la bibliologie est le Français Gabriel Peignot. Vivant sous la Révolution et l'Empire, il imprime plusieurs ouvrages concernant le livre, la bibliographie et la bibliologie. Il publie en 1802 son *Dictionnaire raisonné de bibliologie* (9).

Au-delà des préoccupations bibliographiques, bibliothéconomiques et bibliophiliques c'est à une interrogation générale qu'étaient amenés les hommes du livre de la période révolutionnaire. La biblio-

(9) G. Peignot, *Dictionnaire raisonné de bibliologie*, Paris, Villiers, An X, 1802, 2 vol.

graphie s'ouvrait sur la bibliologie, la technique sur la science. La bibliologie prend alors une perspective générale. Elle s'interroge méthodiquement sur plusieurs questions principales : Qu'est-ce qu'un livre? De quoi est-il composé? A quoi sert-il? Comment est-il produit et distribué? Ainsi se constitue un premier schéma linéaire de l'étude de l'écrit qui, de l'auteur en vient au lecteur par l'éditeur, l'imprimeur, le libraire et le bibliothécaire. Enfin cette approche systématique se complète par une étude historique. La bibliologie chez Peignot est encyclopédique, à la fois théorique et historique.

Une seconde orientation de la bibliologie descriptive se développe après la Révolution de 1848. Cette fois elle se déplace vers l'Europe centrale et balkanique. Elle est liée à l'émancipation politique des peuples soumis au joug autrichien, prussien, russe et ottoman. Le mouvement remonte généralement au dernier quart du XVIIIe siècle. Mais il prend son essor avec le « Printemps des peuples ». La volonté d'indépendance conduit à la création d'institutions culturelles, de musées nationaux, etc. Les intellectuels circulent dans le pays et à l'étranger pour trouver les documents anciens. Ils les collectionnent et les étudient. La bibliologie est donc l'une des conditions de la politique intellectuelle d'indépendance. Mais elle reste encore descriptive. Son orientation est, cette fois philologique et bibliothéconomique. Cette tendance se développe à la même époque et jusqu'au premier conflit mondial, diversement en pays tchèque et slovaque, en Roumanie, en Hongrie, en Bulgarie, en Pologne et même en Finlande. La bibliologie sera institutionnalisée au XXe siècle. Parmi bien d'autres exemples (10) on peut citer celui de la Roumanie. Un cours de bibliologie fut créé en 1931-1933 à l'Uni-

(10) R. Estivals, *Le livre dans le monde. Introduction à la bibliologie politique*, Paris, Retz, 1983.

versité de Bucarest. Le Pr Dima Dragan en assuma la charge voici plusieurs années (11).

La fin du XIXe et le XXe siècle sont caractérisés par la naissance et le développement de la bibliologie expérimentale. D'une science descriptive et historique, la bibliologie devient une science d'observation et rejoint ainsi le grand mouvement des sciences humaines et sociales. Sur un siècle, on peut distinguer deux phases interdécennales séparées par la deuxième guerre mondiale.

De 1888 à 1934 la bibliologie évolue progressivement. Elle tend à se situer par rapport à des sciences voisines comme la documentologie. Elle investit des secteurs partiels de l'étude du livre : sociologie historique, psychologie bibliologique, etc. De l'étude descriptive, qualitative, textuelle elle en vient à l'utilisation de la statistique avec la création de la bibliométrie. Dans une première phase, depuis 1888 jusqu'à la première guerre mondiale, elle procède à des recherches plus ou moins isolées. Dans l'entre-deux-guerres, spécialement vers les années 1930-1934, on voit apparaître des tentatives de synthèse. Par ailleurs les lieux de son développement sont différents. On peut reconnaître au moins deux foyers : l'un en Russie ; l'autre en Europe occidentale.

On sait aujourd'hui qu'une Ecole bibliologique russe existait à la fin du XIXe et au début du XXe siècle. Le Polonais Muszkowski assure que Loviagin et Lissovsky sont les pères de la renaissance bibliologique (12).

La première théorisation de la bibliologie scientifique dont on puisse aujourd'hui être assuré fut effectuée par le Belge Otlet. Son œuvre, oubliée en

(11) C. Dima-Dragan, *Bibliologie Generala,* Bucuresti, Universitatea din Bucaresti, 1976.

(12) J. Muszkowski, Sur la statistique internationale des imprimés, *Congrès international des Bibliothécaires*, Prague, 1926, t. 2 : *Procès verbal et Mémoires*, p. 412-422 ; La bibliologie en Russie, *Documentation Universalis, Bulletin de l'Institut international de Bibliographie*, IIB, Bruxelles, 1931, n° 1-2, p. 76-79.

partie, est considérable. Elle est centrée sur le livre, la documentation et l'information.

Le *Traité de documentation* d'Otlet comprend deux parties d'inégal volume. La plus étendue demeure une description systématique du livre et du document. Elle est comparable dans son esprit aux travaux de G. Peignot apparus plus d'un siècle plus tôt. Par contre, la partie plus restreinte consacrée à la bibliologie, est, pour cette discipline, d'une importance capitale. Otlet introduit une perspective systématique : il s'interroge sur l'origine de la bibliologie ; il cherche à en définir l'objet ; il en analyse les parties ; il la situe par rapport aux autres sciences ; il en inventorie les résultats acquis dans l'entre-deux-guerres. Il définit ensuite la bibliologie comme « une science générale embrassant l'ensemble systématique classé des données relatives à la production, la conservation, la circulation et l'utilisation des écrits et des documents de toute espèce » (13).

L'objet de la bibliologie pour Otlet n'est pas seulement le livre. Il intègre dans son ouvrage « les substituts » du livre : le film, la photographie, bref les médias existant à son époque. La bibliologie est même confondue avec la documentologie. Il est manifeste qu'Otlet perçoit déjà la nécessité d'élargir la problématique du livre à celle des documents, de tous les médias. La question de la communication est sous-jacente. Les cadres scientifiques et méthodologiques de la bibliologie sont établis. Il reconnaît que le livre, bien que faisant l'objet de l'étude de la bibliologie, peut aussi être envisagé sous diverses perspectives : la linguistique, la technologie, la logique, la psychologie, la sociologie. Il ne se contente pas d'élaborer un premier schéma bibliologique. Il regroupe pour chaque secteur les résultats acquis, les auteurs et les œuvres. Il parle de Röthlisberger

(13) P. Otlet, *Traité de documentation, op. cit.*, p. 9.
(14) *Ibid.*, p. 8.

pour la bibliométrie ; de Roubakine pour la psychologie bibliologique, etc. Il analyse la composition de la bibliologie. Elle comprendra la bibliographie, « description des faits dans le temps ou histoire des faits dans l'espace ou étude comparée (graphie soit bibliographie) » (15). La seconde partie, sous le nom de biblionomie (« nombre ») visera la compréhension et l'explication théorique des faits jusqu'aux relations nécessaires les plus générales » (16).

II. — La bibliologie aujourd'hui : la science de l'écrit

L'après deuxième guerre mondiale est marqué par un essor considérable de la recherche et de l'enseignement bibliologiques et, surtout, par la transformation radicale de la bibliologie qui devient définitivement la science de l'écrit, dans le cadre des sciences de l'information et de la communication.

Comme pour la phase précédente on peut dicerner deux périodes : jusqu'aux environs des années 1968-1972, la multiplication fragmentaire des travaux et des sciences bibliologiques ; la systématisation ensuite. Le terme de bibliologie qui avait été oublié depuis Otlet et les années 1934 est repris (17). L'histoire des sciences bibliologiques se constitue progressivement (voir chap. 6). On en vient, à partir du Ier Congrès Inforcom de 1978 à la constitution d'une équipe de recherche sur l'écrit (18). En 1981 la question de la bibliologie, devenue la science de

(15) P. Otlet, *op. cit.*, p. 28.

(16) *Ibid.*, p. 35.

(17) R. Estivals, Bibliologie et prospective, *Le livre français hier, aujourd'hui, demain*, Paris, Imprimerie nationale, 1972 ; *Schéma pour la bibliologie*, Viry-Châtillon, SEDIEP, 1976 ; *La bibliologie*, t. 1 : *La bibliométrie*, Paris, SBS, 1979.

(18) *Schéma et schématisation*, n° 14, L'écrit et le document, Paris, SBS, 1981 ; *Schéma et schématisation*, n° 19, Les sciences de l'information et de la communication, Paris, SBS, 1983.

l'écrit, est portée sur le plan national et international avec plusieurs colloques. Depuis des articles sur le terme bibliologie entérinent cette renaissance dans plusieurs encyclopédies. Aujourd'hui même, cet ouvrage vise à présenter une synthèse de cette discipline.

CHAPITRE II

L'OBJET DE LA BIBLIOLOGIE

La bibliologie, définie jusqu'à une période récente comme la science du livre est devenue la science de l'écrit. Comment expliquer ce changement et quelles en sont les conséquences ?

I. — La définition du livre

Il convient d'abord d'examiner la définition ancienne de la bibliologie comme science du livre. Qu'est-ce qu'un livre ? A cette question de nombreux auteurs ont tenté de répondre. Une enquête statistique lexicale menée voici plusieurs années avait permis de dégager le système collectif du mot livre à partir des dictionnaires, des encyclopédies et de plusieurs auteurs de référence de la fin du XIXe et du XXe siècle (cf. *La bibliologie,* t. 1 : *La bibliométrie,* Paris, SBS, 1979). La conception du livre repose sur des catégories de critères situés, les uns par rapport aux autres, dans le cadre d'une interrelation fonctionnelle. Ils utilisent des concepts plus ou moins nombreux.

Un livre suppose un support, des signes, un procédé d'inscription, un signifié. Il s'intègre dans un processus de création, de reproduction, de distribution, de conservation et de communication. Il concerne le lecteur et il possède un but. Enfin il se situe dans un cadre social.

Ce système fait intervenir 78 mots ou groupes de mots. Ceux-ci ont été réunis sous plusieurs concepts principaux. Le critère de support, fait intervenir les notions de matière, de dimension, de feuille, d'enroulement, de pliage, de feuillets, de cahiers, de pages. On trouve aussi les idées d'assemblage, de couture, de couverture, de brochage, de reliure, de volume et d'ensemble.

Le critère de signe est moins riche et plus appliqué. Il regroupe les notions de titres, d'illustrations, d'espaces de publicité.

Le processus d'inscription, de son côté, collecte les termes de copie, de reproduction, de manuscrit, de multiplication, d'imprimé et d'impression.

Au niveau du critère du signifié on relève les expressions suivantes : œuvres de l'esprit, données intellectuelles, contenu intellectuel, pensée écrite, connaissances. Nulle part n'intervient jusqu'à une époque récente la notion d'information.

En ce qui concerne les catégories de documents, les notions de publication, publication non périodique, livre, brochure, publication périodique montrent le peu de préoccupation des auteurs pour faire un inventaire précis des catégories d'objets.

Les critères de création, de reproduction et de distribution font intervenir les termes d'auteurs, de publications officielles, de sociétés savantes, d'organisations politiques et professionnelles. A ceux-ci s'ajoutent les expressions d'édité dans le pays, d'éditeur, de siège social, de lieu d'édition, d'impression, de diffusion, d'offert au public, de vente, de gratuité.

Le critère de lecteur utilise des concepts à la fois matériels (instrument, passage de main en main) ; spatio-temporels relevant du canal (temps, espace, continent) et physiopsychologiques tenant à la réception (sons, images, sentiments, idées).

Le livre est conçu comme ayant un but : la réflexion, l'enseignement, la connaissance, la diffusion de la pensée et de la culture.

Enfin il n'existe que dans un cadre social donné. On trouve les termes de : civilisation, société policée, culture des arts, des sciences et des lettres, de génération.

Considéré diachroniquement, ce système du mot livre s'est constitué en deux phases assez nettement distinctes : le XIXe et le début du XXe siècle privilégient l'objet-livre lui-même ; l'entre-deux-guerres situe l'objet dans la société en faisant intervenir la sociologie, la culture, l'économie, la psychologie.

Cette étude a permis de créer deux définitions collectives. L'une, minimale, repose sur cette idée que le livre est la transcription de la pensée par une technique d'écriture sur un support quelconque avec des procédés quelconques d'inscription. L'autre lui donne un contenu plus large et sociologique.

Le livre apparaît comme le moyen utilisé par une population d'auteurs et de lecteurs pour satisfaire leur besoin de communication écrite à distance et dans le temps ; ces besoins sont eux-mêmes la manifestation des forces politiques et sociales en présence et notamment celle de la politique culturelle et d'enseignement de la classe sociale détenant le pouvoir ; enfin ces besoins sont satisfaits par le cadre professionnel de production et de distribution des documents écrits et reproduits.

II. — **Du livre à l'écrit**

Cette conception de la bibliologie comme science du livre devait pourtant faire long feu au moment même où elle s'efforçait de se clarifier. Pourquoi ? A cela il y a deux raisons.

La première concerne la contradiction qui s'est développée progressivement entre le besoin d'un sens général — susceptible de faire face aux modifications introduites dans l'écrit par les nouvelles technologies — et le sens restrictif que progressivement on donnait à la notion de livre. Cette contradiction fit ressortir la nécessité de définir la bibliologie par un autre critère que celui de livre. La seconde raison est complémentaire de la précédente : la situation de la bibliologie dans les sciences de l'information et de la communication fit ressortir le critère dont la bibliologie avait besoin : l'écrit.

1. **La réduction progressive de la définition du livre.** — Ce qui paraît assuré sur le plan historique, c'est la réduction progressive du sens du mot livre à une catégorie d'objets ne permettant plus de considérer la bibliologie comme une science de la communication.

Initialement le mot livre s'identifie à la notion d'écrit. C'est le cas sur le plan religieux. Le livre est un objet sacré, porteur de la pensée divine. La Bible c'est l'écriture sainte mais c'est aussi le document sur lequel elle est fixée. Cette conception religieuse, sacrale, n'est en fait que le prolongement du caractère magique et mythique que possède le langage fixé dans les sociétés primitives. Et ce sens persiste encore de nos jours dans l'adoration dont le livre sacré est l'objet chez les Sikhs notamment dans le temple d'Amristsar au Penjab.

L'étymologie, de son côté, allait dans le même sens général : la bibliologie est la science *(logos)* du livre *(biblion)*.

Enfin l'histoire des médias maintint jusqu'à une période récente ce sens traditionnel. Lorsque la bibliologie est inventée au début du XIXe siècle par Gabriel Peignot, le livre, exception faite de la parole, demeure le principal moyen de communication. Progressivement, cependant, le sens du mot livre se réduit et s'identifie à une catégorie d'objets écrits et imprimés. A cela il y a des causes politiques, administratives et culturelles.

La réglementation du Dépôt légal, établie par le pouvoir royal différenciait, sous l'Ancien Régime, le livre et l'ouvrage de ville ou bilboquet. Ce dernier type de document écrit ou imprimé n'était pas soumis au dépôt.

Sur le plan culturel et scientifique l'effort de délimitation fut encore plus précis. Celui-ci est lié au développement de la bibliométrie et à l'élaboration de la statistique internationale des imprimés. Depuis 1888, dans le Droit d'auteur, Röthlisberger avait commencé de présenter la statistique internationale courante des livres. Il convenait d'établir un schéma bibliographique international accepté et pratiqué par tous les pays. Une première tentative eut lieu pendant l'entre-deux-guerres par l'Institut international de Coopération intellectuelle. Cet effort échoua. Il fut repris par l'Unesco après le second conflit mondial. Il aboutit à une conception précise du livre.

Celui-ci est défini par son processus d'inscription : c'est un imprimé ; par son rythme de parution : c'est un ouvrage non périodique ; par le nombre de ses pages : 49 et davantage ; par son processus de production et de publication : il est édité dans le pays, etc.

Cette précision a eu pour conséquence de restreindre la conception du livre. La contradiction était évidente entre le sens traditionnel et général qu'il avait et qu'il conservait dans certaines instances et les sens particuliers qu'il était en train d'acquérir. Le livre n'était plus qu'une catégorie d'écrits. Mais en pratiquant cette délimitation les bibliographes contemporains libéraient le critère d'écrit du terme livre et ne le fixaient nulle part. Il allait être recueilli par les sciences de l'information et de la communication.

2. **L'écrit comme médium.** — Cette interrogation se fait jour chez Otlet, dans l'entre-deux-guerres. Celui-ci devait élargir le sens du mot livre à celui de document. La bibliologie s'identifiait à la documentologie.

La position d'Otlet est facilement explicable. Depuis la fin du XIXe siècle il fut préoccupé par la documentation, et déjà, par l'information. Il sentait la nécessité de situer le livre par rapport aux médias. Mais, dans la situation qui prévalait à son époque, il ne pouvait qu'aboutir à une compréhension partielle du problème. Sentant qu'il fallait aller au-delà du livre il aboutit au document. Il ne va pas plus loin. Chemin faisant, il ouvre une voie dans laquelle la recherche s'est investie depuis plusieurs années. La place de la bibliologie dans un ensemble plus vaste s'imposait dès lors que le débat sur l'inventaire des sciences de l'information et de la communication était ouvert. Il fallait dégager ce que le livre a de spécifique, ce qui le différencie du film, de la radio, du disque, etc. A l'évidence c'est l'écrit. Comment, dès lors, appeler cette science de la communication qui étudie l'écrit, la communication écrite ?

3. **L'alternative dialectique.** — La situation théorique était claire : d'une part, la définition du mot livre s'était restreinte au point de ne plus désigner qu'une catégorie d'objets écrits ; d'autre part, il était nécessaire de définir la science de l'écrit par rapport aux autres sciences de la communication. Le problème du sens du mot bibliologie était donc posé. La solution traditionnelle devait être écartée. Elle consistait à maintenir la conception ancienne de la bibliologie, comme science du livre. Cela supposait que, dorénavant, la bibliologie n'étudierait que les publications imprimées non périodiques de plus de 48 pages, éditées dans le pays, etc. L'absurdité d'une telle proposition tombe sous le sens. Quelles seraient alors les sciences qui s'occuperaient du texte manuscrit, des textes lapidaires, des ouvrages de ville et d'entreprise, de l'écrit informatisé, etc. ? Comment encore nommer la science des écrits, de l'écrit ? Restreindre à un tel point la conception de la bibliologie c'était oublier celle qu'elle avait à son origine.

Cette position présente cependant un mérite : elle mettait en évidence le fait que l'on ne peut définir une science générale à partir d'objets particuliers, composés d'éléments différents, associés d'une certaine manière relevant de plusieurs disciplines simples et qui, de plus, sont de nature évolutive.

III. — La bibliologie, science de l'écrit

L'écrit se dégage donc du livre, des brochures, des ouvrages de ville, etc., comme le général du particulier.

Le système qui permettait la définition du livre vaut pour l'écrit. Celui-ci est un médium supposant un support plus ou moins durable et des signes d'écriture fixant la pensée et la langue d'un émetteur, écrivain ou rédacteur, par le geste et le moyen d'inscription. Il est généralement adressé à un récepteur ou lecteur. Il peut être reproduit en un certain nombre d'exemplaires grâce à l'intervention d'un système d'édition, de diverses technologies et de la distribution. Il est donc le produit d'un système de communication. L'écrit c'est la communication écrite. Enfin, l'écrit est pour toutes ces raisons un fait sociologique et politique.

Comment, dès lors, puisque cela devenait une nécessité de la réflexion épistémologique, définir la science de l'écrit ? Et, avant de modifier le sens du mot bibliologie ne pouvait-on pas envisager d'employer d'autres termes ? Le mot scriptologie par exemple ? Une enquête lexicale montre que ce terme n'est pas adéquat. La scriptologie est la science de l'écriture (de *scribere*, écrire). Or l'écrit n'est pas l'écriture. L'écrit suppose l'écriture mais exige un support. La bibliologie, ne pouvant plus être la science du livre puisque ce dernier terme s'est restreint à une catégorie d'objets écrits, devient la science de l'écrit, de tout écrit, des diverses catégories d'objets écrits, de la communication écrite.

CHAPITRE III

LA BIBLIOLOGIE ET LA COMMUNICOLOGIE

Toute discipline doit se situer dans un ensemble scientifique. Cette opération est nécessaire pour préciser ses limites. Tant que la bibliologie a été considérée comme la science du livre elle ne s'est pas posée une question de cet ordre. En précisant son champ d'études à partir du concept d'écrit, la bibliologie doit s'interroger sur ses rapports avec les sciences de l'information et de la communication (SIC).

Jusqu'aux années 1980 on disposait en France des théories d'Abraham Moles, les plus anciennes, et de celles de Robert Escarpit. Elles constituent des encyclopédies et des philosophies de la communication. Aucun travail de classification n'avait été réalisé. La bibliologie, la plus ancienne des SIC, a donc été conduite à prendre en charge, pour ses propres besoins, un travail qui aurait dû être effectué ailleurs. Cette clarification fut effectuée entre 1978 et 1983.

I. — **Théorie et méthodologie de la classification**

Le fondement de toute interrogation visant la classification repose sur la théorie et l'histoire des sciences et, en dernier recours, sur la théorie de la connaissance (épistémologie). Deux principes essentiels interviennent d'abord : la description des phénomènes étudiés (graphie), leur explication (logie).

Une série d'opérations s'imposent. La réalité observable est composée de phénomènes. L'esprit scientifique doit ensuite les inventorier, les regrouper en catégories pour composer des typologies. Il y parvient par une série d'actions mentales : séparation des faits par comparaison ; regroupement par identification ; dégagement d'un critère général qui les unit. Ce travail permet de définir chaque discipline et de préciser sa spécificité. La comparaison avec des sciences voisines conduit à les regrouper. Des sciences complexes on passe à des sciences simples par la découverte d'un critère plus général. On élabore ainsi une hiérarchisation, une échelle, une classification.

La théorie des classifications, sans être abandonnée, a fait l'objet de nombreuses critiques. On a cherché à la compléter par la théorie de l'interdisciplinarité. S'il est vrai que chaque catégorie de phénomènes possède une spécificité permettant son identification, elle peut, par contre, faire aussi l'objet de recherches à partir de perspectives scientifiques différentes. Des sciences interdisciplinaires se constituent au croisement de deux sciences spécifiques. Leur définition est alors composée. C'est à partir de cette théorie que fut élaborée la classification des sciences de l'information et de la communication.

II. — La classification des SIC et la bibliologie

1. **La communicologie, science de la communication.** — L'application de cette théorie permet de reconnaître le champ général d'étude de la communication : la théorie de l'espace. Celui-ci est composé d'entités séparées les unes des autres, lesquelles peuvent établir des relations entre elles. Elles communiquent alors. La communication se fonde donc sur le concept de la relation et c'est bien ce que sous-entend son étymologie : mettre en commun.

Cette théorie s'applique à l'ensemble des phénomènes observables et à leur typologie. Il existe une communication entre les objets (les astres, par exemple), une communication entre les végétaux, les animaux ou les hommes.

Cette perspective présente l'avantage de clarifier des usages différents, voire de rétablir des vérités. On peut ainsi constater que la théorie de Shannon concerne d'abord la communication physique quand celle de Weaver cherche son adaptation à la communication humaine. On peut encore comprendre l'usage du mot communication dans d'autres domaines que celui de la relation intellectuelle. C'est le cas, par exemple, quand on parle de communication à propos de réseaux de transports (canaux, chemin de fer).

Par ailleurs, dans le cadre même de l'activité humaine la théorie de la relation met en valeur le caractère idéaliste d'un grand nombre de travaux traitant de la communication sociale. La communication humaine porte sur deux catégories de phénomènes : les biens et les idées. La première relation relève de l'économie, la seconde fait l'objet de la communication sociale. Or on a tendance à les séparer et à ignorer leur conjonction. Cette constatation permet de rétablir l'interrelation de ces deux formes d'échange. On peut dès lors reconstituer le lien dialectique entre l'infrastructure économique et la superstructure intellectuelle dans le cadre de la communication.

La théorie de la relation constitue un système. Elle renvoie, à son tour, par sa décomposition, à une série d'éléments qui constituent ce qu'on a appelé les schémas canoniques de la communication (Saussure, Jakobson, Meyer Eppler, etc.) : les entités émettrices et réceptrices ; le contenu et le sens, l'information ; la langue, les langages, les codes et les signes ; les supports ; le médium et les médias, les outils, le canal, le circuit et le réseau ; le but et la fonction, l'effet. Derrière ce schéma se trouve un système de questions qui justifient la présence de chacun des éléments précédents : qui communique ? Avec qui ? Quoi ? Comment ? Où et quand ? Pour quoi faire ?

2. **L'informatologie, science de l'information.** — L'élément central de la communication c'est l'infor-

mation. Cela suppose un émetteur, capable de penser et de conceptualiser. Le produit en est une connaissance, un savoir. L'information comme l'étymologie l'indique concerne l'apparition physique de la connaissance dans le champ de la communication, de la relation intellectuelle. Cela exige que la connaissance passe de la subjectivité à l'objectivité du réel perceptible. Pour cela il faut qu'elle soit dirigée vers autrui et donc mise en forme. Aussi bien l'information n'existe que dans la mesure où la forme reçue est décodée et comprise. Autrement elle n'est qu'une information virtuelle. L'informatologie est la partie de la communicologie qui étudie l'information (1).

3. **Langue, langages et signes : bibliologie et sémiologie.** — La création d'une information fait intervenir plusieurs opérations successives : il faut vouloir communiquer et pour cela choisir un langage : la parole, le geste, l'image, l'écrit. Il faut penser et s'exprimer selon ce langage, c'est-à-dire faire intervenir les systèmes de codes appropriés. Il est donc nécessaire d'avoir appris et intériorisé ces codes. Il convient enfin d'en produire les signes.

Chaque catégorie de langage fait l'objet d'une discipline, dans l'ordre : la linguistique et la phonétique ; la gestologie ; l'iconologie ; la bibliologie. L'ensemble constitue la sémiologie, la science des signes. La bibliologie trouve donc ici sa première situation : c'est l'une des sciences sémiologiques qui porte spécifiquement sur l'écrit.

4. **Support et document, médium et médias : bibliologie, documentologie et médialogie.** — Les signes n'existent qu'autant qu'ils sont portés par des supports. L'intégration des uns sur ou dans les autres constitue le médium au singulier, les médias au plu-

(1) J. Meyriat, De la science de l'information aux métiers de l'information et de la communication, *Schéma et schématisation*, n° 19, Paris, SBS, 1983.

riel. Ceux-ci sont à la fois des moyens et des intermédiaires entre les entités humaines communicantes. L'étude des médias fait l'objet de la médialogie. L'examen des médias montre qu'ils peuvent être regroupés en deux catégories principales selon qu'ils sont fugitifs (la voix, le geste) ou durables (l'écrit, le disque, etc.). Dans ce dernier cas ils constituent des documents. Ceux-ci sont virtuels s'ils sont conservés dans l'espace situé entre les entités communicantes (bibliothèque, médiathèque, etc.). Ils deviennent des documents réels lorsque leur décodage par un récepteur est producteur d'informations. L'étude des documents fait l'objet de la documentologie.

La bibliologie, science de l'écrit, doit donc s'interroger sur sa relation avec la documentologie et plus généralement avec la médialogie.

5. **Médias, bibliologie et éditologie.** — Le médium doit être resitué dans l'ensemble de la relation. On doit alors s'interroger sur le rôle du nombre des récepteurs, du temps et de l'espace à franchir pour les atteindre. De la communication interpersonnelle on passe à la communication collective. Le nombre oblige à la multiplication du document unique. Ce besoin impose la création d'une organisation. Celle-ci constitue, sous le terme d'édition, une structure à la fois financière et économique, technique et artistique, productive et distributive. Cette organisation est complétée par des institutions de conservation et de communication (bibliothèques, médiathèques). L'ensemble de ces éléments nécessaires constitue une chaîne que l'on appelle primaire, parce qu'elle produit des informations et se différencie d'une chaîne secondaire d'information et de documentation qui, elle, utilise ces dernières.

Ce qui est valable pour la communication en général l'est aussi pour l'écrit. L'éditologie considérée comme science de la reproduction des médias fait donc aussi partie de la bibliologie.

6. **Les systèmes de communication : la systémique bibliologique.** — L'ensemble des éléments qui constituent la communication n'existent et n'interviennent que dans la mesure où ils répondent à une nécessité. L'analyse des fonctions de communication renvoie à la prise en considération des organes de celle-ci et de leur relation interrelation fonctionnelle. L'étude des systèmes de communication relève de la systémique. Celle de l'écrit pose le problème d'une bibliologie systémique qui devra rendre compte de l'ensemble des éléments précédents et des diverses formes de l'écrit.

7. **La communication et la société : sociologie de la communication et bibliologie politique.** — Les systèmes de communication visent à rendre compte de la relation intellectuelle entre les hommes. Mais ils l'isolent du contexte global de la collectivité dont ils font partie. La communication doit être resituée dans l'ensemble de l'activité humaine. C'est l'objet de la sociologie de la communication. L'étude de l'écrit ne saurait échapper à cette problématique. A la bibliologie systémique communicationnelle doit donc s'ajouter la bibliologie systémique sociologique et politique.

Le recours à une classification des sciences de l'information et de la communication pour situer la bibliologie montre bien son utilité. L'écrit c'est la communication écrite. La bibliologie est la science de l'écrit, l'une des sciences de la communaation et de l'information. Elle constitue l'une des sciences sémiologiques à partir du critère de signe d'écriture et l'une des sciences documentologiques et médialogiques par son support. Comme les autres sciences de la communication elle comprend l'éditologie, la systémique et la sociologie politique.

CHAPITRE IV

L'ÉCRIT : BIBLIOLOGIE, SÉMIOLOGIE ET DOCUMENTOLOGIE

La bibliologie, en devenant la science de l'écrit, déplace son champ d'étude. Comme science du livre elle considérait principalement le champ de reproduction de l'écrit, de l'auteur au lecteur, en passant par le système éditorial, la distribution et les bibliothèques. La bibliologie aujourd'hui doit d'abord rendre compte de la création, de l'apparition d'un écrit. Elle découvre l'existence d'un double circuit d'émission composé de plusieurs phases et faisant appel à diverses sciences bibliologiques.

I. — La pensée et la langue : la théorie de la schématisation

L'écrit ne peut se désintéresser de la pensée et de la langue, puisqu'il intervient après, en troisième position. La pensée fait l'objet d'études de la philosophie et de la psychologie ; la langue de la linguistique ; la relation de la pensée et de la langue, de la psycholinguistique. L'homme, en pensant, évoque des idées qu'il formule automatiquement par des mots qui constituent des phrases ou unités closes. Leur succession crée un discours, un texte. Leur formulation s'effectue dans la conscience sous la forme d'images acoustiques comme l'avait indiqué Saussure. Ce processus est celui de l'énonciation. Il se poursuit par la parole qui fait intervenir les organes de la phonation.

La théorie grammatologique de la schématisation vise à rendre compte à la fois des processus de la réflexion et des diverses formes des langages.

Elle remonte à Kant. Elle est reprise par Bergson, Dumas et Piaget ; on la retrouve chez Changeux et les neuropsychologues. Elle est le fondement de l'informatique, de l'intelligence artificielle et de la robotique.

Elle repose sur les trois notions complémentaires de schème, de schéma et de schématisation. Le schème peut être une sensation affaiblie, un percept, l'intuition de la compréhension, la représentation mentale d'une structure obtenue par analyse et synthèse. Le schéma est une représentation simplifiée du réel. Il intervient dans tous les langages. Il est l'expression du schème. La schématisation constitue la procédure d'abstraction et de structuration. Penser c'est schématiser, disait Goblot. La schématisation aboutit donc à une écriture de l'esprit dont la mémoire constitue le support. C'est l'image du bloc de cire de Freud dont parle Derrida. Le processus d'engrammation de la mémoire permet, par analogie, de mieux comprendre l'écriture humaine et la structure électronique des mémoires et des programmes des ordinateurs. L'application de la théorie de la schématisation à la pensée et à la langue permet de reconnaître trois niveaux principaux de connaissance, de construction du réel, et, partant, trois formes d'expression.

Le premier niveau concerne la représentation du réel perçu, mémorisé ou imaginé : c'est l'image. Le second porte sur l'image simplifiée que nous créons dans notre esprit pour comprendre le réel ou pour agir sur lui : c'est le schème mental. Le troisième relève de la conceptualisation et de la langue.

II. — L'écrit et les langages : la sémiologie

Savoir écrire suppose une compétence supplémentaire. Le plus souvent on apprend à écrire quand on sait parler. Dans les sociétés modernes un analphabète est une sorte d'infirme.

Si la pensée et la langue précèdent l'écriture, encore faut-il décider d'écrire. L'acte d'écriture est précédé d'une intention, d'une décision, répondant à un besoin. L'écrit se trouve confronté aux autres langages : la parole, le geste, l'image et à leurs systèmes de signes. De même que Saussure considérait la linguistique comme l'une des disciplines de la sémiologie, la science des signes, de même la bibliologie comme la gestologie, l'iconologie, etc., relève de cette même discipline.

L'acte d'écrire dépend d'un système de communication particulier. On éprouve d'abord le besoin d'exprimer, d'extérioriser ce qu'on a en soi. Ce souhait est propre à l'ensemble des langages. Il est à l'origine de la spécialisation d'un certain nombre d'organes situés plus ou moins loin du cerveau : la bouche et l'ensemble des organes de phonation pour la parole et le chant ; le bras et la main pour le geste, l'image et l'écrit. Ces organes sont des outils physiologiques.

Le besoin d'écrire comporte un second élément : la nécessité de faire durer ce qu'on pense et ce qu'on dit. Il suppose la représentation mentale d'un autre qui est absent. Ce besoin bute sur la difficulté spatiale et temporelle du canal de la communication. L'acte doit viser à laisser des traces, un document susceptible d'atteindre les autres. Cette nécessité conditionne le choix entre les langages fugitifs, la parole ou le geste et les langages fixés. Le troisième élément constitutif du besoin d'écrire concerne l'activité mentale. L'écrivant a décidé d'exprimer ce qu'il a conceptualisé plutôt que d'en reproduire les images ou les schèmes mentaux...

Le besoin d'écrire comprend donc à l'état latent un système de communication. Mais c'est un système particulier ainsi que nous l'avons déjà noté. L'écrit n'est que l'un des systèmes possibles de la communication.

Le besoin d'écrire peut aussi être intégré aux autres moyens de communication. On peut vouloir montrer l'image mentale, le schème que l'on a construit du réel ; on peut vouloir suggérer la structure des phénomènes en montrant successivement l'image et le schéma ; on peut vouloir décrire et expliquer l'image et le schéma seuls ou associés à l'écrit. On peut utiliser isolément ou simultanément, le geste, la parole, l'image et l'écrit. La combinaison de ces possibilités permet d'établir une typologie de solutions.

Dans tous les cas le besoin d'écrire intervient en fonction de sa spécificité. L'utilisation de cette typologie dépend non seulement des activités mentales à traduire et des langages impliqués mais aussi du récepteur, du but poursuivi et de la distance. Dès que le récepteur est situé au-delà de l'horizon et du champ de perception de l'émetteur le langage naturel de la parole et du geste fait place à l'image fixée et à l'écrit. C'est à ce point que l'écrit retrouve sa fonction spécifique et sa complémentarité avec l'image et le schéma dans l'expression et la communication de l'ensemble des faits mentaux. Le besoin d'écrire relève d'une sémiologie bibliologique ou bibliologie sémiologique.

III. — **Le système d'écriture : paléographie, grammatologie, philologie et littérature**

Il ne suffit pas d'avoir besoin d'écrire pour tracer des lettres. Il faut qu'il existe un système de signes d'écriture. Comme Saussure l'avait mis en lumière pour la langue, l'écrit comprend un système et son énonciation. Le premier est composé d'un ensemble cohérent de règles, un code.

Le système d'écriture est un fait social indépendant des individus qui l'utilisent. Ils s'en servent grâce à son apprentissage à l'école, par ce qu'il est convenu d'appeler l'alphabétisation. L'énonciation scripturale relève de l'utilisation individuelle du système d'écriture. Elle comprend deux phases : l'image scripturale mentale, la graphie. On ne peut donc confondre l'écriture et l'écrit. La première est un moyen mais demeure une potentialité. Le second est un médium.

1. **Les sciences de l'écriture.** — L'étude du système d'écriture se situe au croisement de deux perspectives complémentaires : l'une d'ordre historique qui étudie les systèmes successifs élaborés par les sociétés humaines ; l'autre d'ordre structurel qui examine la relation de la pensée, de la langue et de l'écriture. La première fait l'objet de la paléographie et de l'histoire de l'écriture. La seconde fait intervenir la philologie, la littérature et la rhétorique — qui examinent la relation de la langue et de l'écriture — et la grammatologie — qui analyse les rapports de la pensée et de l'écriture.

A) *La paléographie.* — L'objet principal de la paléographie concerne l'étude des systèmes d'écriture anciens. Il faut d'abord faire l'inventaire des documents d'écriture. On construit ensuite des typologies en fonction de plusieurs critères : les écritures et les sociétés (paléographie grecque, etc.) ; les formes des caractères (capitale, etc.) ; les supports (cylindres, etc.). Ces classifications renvoient à l'étude des signes, à commencer par leur déchiffrement. Elle se poursuit par l'étude de l'évolution des systèmes d'écriture. Ceux-ci sont ensuite intégrés à leur cadre social. La paléographie débouche ainsi sur la sociologie de l'écrit.

Elle constitue une discipline qui apparaît au XVIIIe siècle. Son fondateur en France, fut Bernard de Montfaucon qui l'a créée en 1708 avec son ouvrage intitulé *Palaeographia Graeca*. A partir de 1821, elle fait l'objet d'un enseignement à l'Ecole des Chartes.

B) *La philologie, la littérature, la rhétorique, la critique et l'histoire littéraire.* — La philologie c'est la science de la langue écrite. Son champ d'études se situe au croisement de la linguistique, de la littérature, de la rhétorique, de la paléographie et de la grammatologie.

La connaissance des langues anciennes passe par l'étude des documents écrits. La philologie doit s'interroger sur les écritures. Elle rejoint ici la paléographie. Leur connaissance lui permet d'avoir accès aux langues anciennes. Elle se transforme en linguistique historique. La connaissance des langues ouvre la voie de l'étude des contenus, des procédés de création des textes. La philologie évolue alors vers la littérature, la rhétorique, la critique, la théorie de l'histoire littéraire.

Enfin, au-delà du processus de création des textes, leurs contenus permettent de mieux connaître l'humanité. Elle complète l'archéologie. Elle devient une science auxiliaire de l'histoire.

C) *La grammatologie*. — La grammatologie ou graphématique est la science de l'écriture (*graphein*, écrire ; logos, discours). Elle s'identifie à la scriptologie. Littré la définit comme un « traité des lettres de l'alphabet, de la syllabation, de la lecture et de l'écriture ». C'est encore ce sens d'histoire de l'écriture que lui donne I. S. Gelb (*Pour une théorie de l'écriture*, Paris, Flammarion, 1973). Sans perdre de vue cette ambition première Jacques Derrida *(De la grammatologie. L'écriture et la différence)* a élargi son champ d'étude. La grammatologie poursuit l'objectif d'établir des relations entre l'écriture et la pensée. En aval de l'écriture elle refuse de s'occuper de l'écrit, du livre. Elle ne constitue ainsi qu'une partie de la bibliologie. Elle refuse tout lien avec le support et donc avec la documentologie. En amont elle rejette la priorité de la langue et de la parole. S'occupant des techniques d'écriture elle recoupe la paléographie et l'histoire de l'écriture. Remontant à la pensée, elle tente de mettre en valeur une identité de nature entre l'organisation de la réflexion et celle de l'écriture. La grammatologie invente le concept d'archi-écriture de l'esprit et notamment de la mémoire. Elle fait intervenir la théorie ancienne de l'engrammation. Aujourd'hui elle sert aux neurophysiologues et aux informaticiens. Cette philosophie de l'écriture devient une théorie scripturale de la connaissance. Elle débouche sur une sociologie de la culture.

2. **La théorie des systèmes d'écriture.** — Les positions sur l'évolution des techniques d'écriture ont varié avec le temps. Il est possible de les organiser en un système concentrique.

Jusqu'à Marcel Cohen on a considéré la valeur du signe. On distinguait trois phases : la pictographie, l'idéographie, le phonétisme. On s'interrogeait sur le signifié. Les signes signifiaient des idées ou bien ils fixaient des sons.

Sur un autre plan, celui du signifiant, on observait une évolution s'orientant de la figuration à la géométrisation des formes. La théorie de la schématisation intervenait inconsciemment. Cette hypothèse fut celle de l'abbé Breuil pour les pétroglyphes. Elle fut rendue partiellement caduque par les travaux de Leroi Gourhan sur les primitifs (1).

Après le second conflit mondial J. G. Février (*Histoire de l'écriture*, Paris, Payot, 1948) devait élargir la problématique de l'écriture à la méthodologie de sa création. On fit la distinction entre les notions de synthétisme et d'analytisme. La première méthode vaut pour la pictographie. Elle vise à fixer un ensemble d'idées. La procédure analytique s'impose ensuite par les pressions réelles de communication. Il s'agit de créer un code plus rigoureux. Appliqué à la pictographie, l'analytisme ouvre la voie de l'écriture idéographique. Le signe au lieu de fixer

(1) A. Leroi-Gourhan, *Le geste et la parole* (2 vol.), Paris, Albin Michel, 1964-1965.

un ensemble d'idées n'en fixe plus qu'une seule. Le processus du rébus permet le passage de l'idéographie au phonétisme. C'est encore l'analytisme et la méthode acrologique et acrophonique qui facilitent le passage du polysyllabisme au monosyllabisme, puis au consonantisme et à l'alphabétisme.

L'approche linguistique fait intervenir une série de néologismes. Le phraséogramme est un signe qui fixe une phrase. Il concerne le synthétisme et la pictographie. Le logogramme est l'équivalent d'un mot et se superpose à l'idéographie analytique. Le morphémogramme fixe les parties d'un mot, les morphèmes. Le syllabogramme est la graphie d'une syllabe, le phonogramme, la graphie des phonèmes, etc.

La remontée vers l'amont de l'écriture devait conduire à dépasser la relation à la langue et parvenir à la psychologie sociale. Frazer puis L. Lévy-Bruhl devaient faire intervenir la théorie de la mentalité primitive prélogique. L'être du signe adhère à sa représentation (R. Estivals, *L'Idéographie magique synthétique*, Paris, l'auteur, 1954). Cette interprétation fit place, après la deuxième guerre mondiale, à la théorie des mythes chez Lévi-Strauss (*La pensée sauvage*, etc.).

De la psychologie sociale, l'étude de l'écriture s'élargit à la société tout entière (R. Estivals, Historia del libro, *Universitas*, 19, Barcelona, Salvat, 1973). Les techniques d'écriture sont alors reliées aux conditions de vie des sociétés successives.

La problématique actuelle de l'histoire des techniques d'écriture est donc celle d'une synthèse. La sociologie conditionne la psychologie et les tensions de communication. Ces dernières obligent le scribe à passer du synthétisme à l'analytisme, de l'idéographie au phonétisme. Dans le même temps évoluent les formes de la figuration à la géométrisation. La théorie interprétative dans les deux cas est celle de la schématisation : réduction du nombre des signes et des formes.

3. **L'évolution des systèmes d'écriture et l'amont psycholinguistique de l'écrit.** — N'existe-t-il pas une relation entre l'évolution des systèmes et l'amont psycholinguistique de l'écrit ?

Il s'agit de comparer la diachronie des systèmes et la synchronie du processus d'énonciation scripturale. Les premiers systèmes seraient la conséquence d'une lente conscientisation du processus mental et linguistique par le scribe. On pourrait y distinguer quatre étapes. Dans la première, chez les primitifs anciens, les traces géométriques seraient le produit d'une activité gestuelle, non conscientisée.

La seconde, avec la pictographie, chercherait à reproduire les images mentales qui traversent l'esprit. La troisième phase, sous la pression de communication, obligerait le scribe des sociétés préclassiques à décomposer l'image mentale, mettant ainsi l'accent sur le concept. Le signe au début resterait figuratif. Dans une quatrième étape, le scribe serait amené à déplacer son attention, de l'image du concept, au son du mot qui l'exprime. C'est la fonction du rébus. Ainsi l'évolution du système d'écriture consisterait bien en une prise de conscience progressive des diverses activités mentales et langagières.

Une telle hypothèse est nécessaire. On ne peut en effet rendre compte de l'histoire de l'écriture sans s'interroger sur ses relations avec les mentalités et les langues qui la précèdent. Cette théorie se situe entre les hypothèses sociologiques et psychosociologiques d'une part, les analyses linguistiques d'autre part. La schématisation des systèmes d'écriture correspond alors aux processus de schématisation mentale.

IV. — L'automatisation du système d'écriture : l'alphabétisation

La volonté d'écrire et l'existence d'un système d'écriture dans la société dans laquelle on vit ne suffisent pas. Une nouvelle opération est donc nécessaire : apprendre le système des signes. Cet apprentissage c'est l'alphabétisation. Il s'agit d'automatiser la connaissance et la pratique du système d'écriture.

Il convient d'abord de s'interroger sur le concept d'automatisation. Ce mot est généralement utilisé pour des machines. Il est employé par extension au plan humain où il rejoint celui d'habitude. Il s'agit alors d'une action apprise par l'observation et la répétition. Elle aboutit à la création des schèmes mentaux fixés dans la mémoire. Progressivement l'engrammation fait disparaître les schèmes de la conscience.

Habitude et automatisation concernent un grand nombre de nos actions. L'automatisation peut intervenir à tout âge et selon les besoins. En ce qui concerne les langages, l'une des premières applications de l'automatisation concerne l'apprentissage de la langue. Celui-ci commence dès la naissance. Il aboutit au développement de la pensée et à l'utilisation de la langue et de la parole chez l'enfant.

L'alphabétisation consiste donc à employer une aptitude générale. Elle transforme l'analphabète en personne sachant lire et écrire.

Comment s'effectue l'alphabétisation ? L'apprentissage commence par la réception sensorielle de l'information graphique. Normalement cela se produit par la vue. A défaut, chez l'aveugle, le toucher intervient grâce à l'alphabet Braille. Les sens permettent de reconnaître des formes bi- ou tridimensionnelles. La langue parlée comme l'image sont directement utiles. On se sert alors du principe d'analogie. On fait associer une image, un son, les deux en définitive, aux lettres puis aux mots porteurs des concepts. La répétition de l'expérience permet la mémorisation. La reproduction par l'intervention du crayon et de la main, fait passer de la lecture à l'écriture.

Pour réussir, l'alphabétisation pose le problème de la pédagogie. La discussion porte alors sur les méthodes à employer : globale, syllabique, etc.

Dans tous les cas la pédagogie suppose l'intervention de la société. Il faut que celle-ci possède un système d'écriture ; qu'elle ait les moyens et la volonté de procéder à l'alphabétisation. Elle exige des maîtres, elle réclame des écoles, une organisation gouvernementale et une pression familiale. L'alphabétisation est un fait social.

L'histoire des civilisations rend compte de l'histoire de l'alphabétisation. La démocratisation explique son élargissement progressif de l'aristocratie à la bourgeoisie, aux masses populaires et, enfin, aux peuples anciennement colonisés. L'alphabétisation constitue ainsi un champ d'études qui fait intervenir plusieurs disciplines : la physiologie, la physiopsychologie et la psychologie bibliologique pour l'étude des processus individuels d'apprentissage ; la psychopédagogie au plan des méthodes ; la sociologie et l'histoire en ce qui concerne les cadres sociaux.

V. — **L'énonciation scripturale : le premier et le second circuit d'émission de l'écrit**

La volonté d'écrire, l'existence d'un système d'écriture et son intériorisation par l'alphabétisation s'ouvrent sur l'acte d'écriture. Celui-ci fait intervenir simultanément la pensée et la langue, parfois l'énonciation verbale. Il aboutit enfin à l'énonciation scripturale. Que se passe-t-il alors ? On peut reconnaître plusieurs phases successives possibles. La première a trait à l'image mentale graphique ; la seconde au système d'inscription ; la troisième à la graphie proprement dite, et à son résultat, le document écrit.

Cependant l'acte d'écrire est ambigu. Il ne consiste pas seulement en une inscription faite par la main et le stylo sur du papier. Que l'on se représente en son for intérieur le mot que l'on va écrire ou qu'on le voie à mesure qu'on le trace, l'acte d'écrire est, en même temps, un acte d'autolecture, d'auto-écriture, d'autocommunication.

L'écrivant est son premier lecteur. Il réfléchit à ce qu'il trace ou vient de tracer. Il compare intuitivement ce qu'il voulait dire à ce qu'il voit et déchiffre. Il lui arrive de percevoir des différences. Il cherche alors à les faire disparaître. Au premier circuit d'énonciation scripturale s'en ajoute un second. Le lien entre les deux c'est le processus d'autolecture. Mais cette procédure n'est pas sans conséquences pour l'écriture. Elle fait intervenir un deuxième système d'écriture, le système graphique, de nature idéographique, complémentaire du premier et qui se superpose à lui. La comparaison que l'écrivant effectue, par l'acte d'autolecture, entre ce qu'il voulait dire et ce qu'il lit, peut aboutir à des modifications qui concernent soit les mots et leur écriture, soit les formes ou la nature des lettres qu'il avait préalablement tracées. Il utilise dans ce dernier cas la forme, le corps des lettres, leur place, voire leur couleur. Le système d'écriture alphabétique n'est pas concerné. La graphie devient idéographique et porteuse de concepts. Ainsi l'écriture comprend deux systèmes complémentaires. Ceci est valable pour tous les langages. Cette dichotomie et cette complémentarité du système graphique ne sont pas seulement une réalité psychologique. Elles sont à l'origine des langages graphiques particuliers, tels la calligraphie et la typographie. Elles ont conduit à la création de métiers distincts tels ceux des graphistes et des secrétaires d'édition.

VI. — L'image mentale graphique : la psychologie bibliologique

La décision d'écrire peut avoir une double conséquence : ou bien d'évoquer dans l'esprit l'image des mots que l'on écrira ensuite ; ou bien l'inscription graphique automatique. L'image mentale graphique procède d'une volonté de représentation des mots en son for intérieur à des fins d'observations informationnelle, esthétique, critique, etc. Elle est plus ou moins liée à une intention d'autocensure. Elle constitue un système de préécriture et une première lecture. L'étude de l'image mentale graphique constitue un domaine d'étude spécifique qui relève à la fois de la linguistique, de la sémiologie et plus généralement de la psychologie bibliologique.

VII. — **Le système d'inscription : physiologie, physique et chimie scripturales**

Entre l'image scripturale mentale et la création achevée d'un document écrit se situe la phase intermédiaire de l'inscription. L'énonciation graphique est aussi une action de fabrication. Le résultat est un objet : l'écrit. L'acte d'écrire doit donc être envisagé dans le cadre des activités du travail physique. Il relève à la fois de la gestotologie et de l'ergonomie dans la perspective du travail. Une typologie permet de classer l'inscription avec les autres activités artistiques et intellectuelles de nature gestuelle : l'écriture musicale, la peinture, etc. L'inscription relève d'un système dans lequel interviennent l'organe physiologique d'émission, la main ; les outils d'écriture ; les produits inscrivants et les supports. Chacun de ces éléments est en interrelation à l'intérieur d'un système de communication scripturale. La volonté d'informer, à distance par exemple, exige des matériaux légers transportables, des produits inscrivants déposant des pellicules d'encre, des plumes ou des calames.

Chaque partie du système d'inscription a sa problématique. Le premier est d'ordre physiologique. On vise alors à décrire et à expliquer la position de l'écrivant (debout, assis, accroupi) ; celle du bras et de la main ; le mouvement des doigts. Ces éléments sont des faits physiques mais aussi culturels. L'étude physiopsychologique des processus manuels de production des signes d'écriture fait l'objet de la biomécanique scripturale ou physiologie de l'écriture. Les premiers travaux publiés sur cette question remontent en France au début du XIXe siècle, à Benech de Saint-Arq. Elles ont fait l'objet de travaux récents par Sokolov, Banov et Innocenzi (2).

Les moyens d'inscription sont des outils. Le doigt est le premier d'entre eux. Il ne peut être employé en toute circonstance à cause de ses insuffisances : il pose des problèmes de précision du tracé, d'épaisseur du trait, d'usure des tissus. Il a inspiré la création des outils d'inscription : le calame, la plume, etc., sont faits à son image. Mais ils ont été calculés pour éliminer ses insuffisances.

Dès lors, les doigts, d'organe d'écriture, se sont trouvés limités à des organes de préhension des outils d'écriture puis de frappe (clavier). Le tracé des caractères peut être obtenu de diverses manières. Cependant, dans le plus grand nombre des cas, le produit inscrivant vient compléter l'action de l'outil. Il s'agit alors des encres qui doivent posséder un certain nombre de qualités pour durer : fluidité ; couleurs différentes pour se détacher visuellement ; propriété de séchage rapide et d'adhérence au support ; tout ceci constitue un domaine spécifique qui relève de la chimie.

Le support enfin est la condition essentielle de la fixation même fugitive (vidéotex) des signes d'écriture.

VIII. — **La graphie**

Le fonctionnement du système d'écriture aboutit à la fabrication de l'écrit manuscrit. Celui-ci est un objet particulier dont la graphie est la spécificité qui doit être examinée sous deux angles complémentaires : en soi, pour connaître le système graphique ; par

(2) R. Kazansky, Les problèmes des écritures manuscrites face à la révolution scientifique et technique, *Schéma et schématisation*, n° 17, Paris, SBS, 1982.

rapport aux autres formes visuelles, c'est-à-dire dans ses relations à l'image.

Les formes des signes d'écriture, ne sont pas neutres. Le problème initial est donc celui de la perception, de la lecture des caractères. Le processus est engagé avec l'évocation mentale de l'image graphique. Il se poursuit dès que l'acte d'écriture est commencé. L'effet psychologique naturel est de deux ordres : émotif et esthétique ; informatif et conceptuel. L'effet produit dépend de plusieurs paramètres déjà énoncés : la forme du caractère, sa grandeur ou corps, sa couleur, sa place.

L'étude des manifestations de l'énonciation scripturale permet d'établir une typologie correspondant à diverses disciplines.

1. **L'idéographie scripturale informative.** — Le choix de la forme des lettres intervient dans le processus d'inscription. Il s'effectue en fonction soit de normes apprises dans le cadre du processus social d'alphabétisation ou d'enseignement du graphisme, soit d'une manière personnelle selon les besoins de la communication particulière.

Pour la forme, par exemple, on sait que l'usage de la majuscule marque le début d'une phrase ou concerne les noms propres. La relation de la surface du support et des mots pose le problème de la mise en page. Il s'agit bien de formes ayant des valeurs idéographiques. Mais les règles sont codifiées et apprises.

Il en est autrement au niveau de l'initiative individuelle. Celle-ci peut suivre les règles précédentes. Elle peut aussi les enfreindre et les remplacer par des règles personnelles fondées sur l'imagination graphique.

2. **L'idéographie scripturale naturelle : la graphologie.** — Les signes écrits sont différents d'un individu à l'autre. L'observation de ces variations devait conduire à la création d'une science bibliologique particulière : la graphologie. Elle est devenue l'étude

psychophysiologique de l'écriture. Cette conception semble remonter à l'Italien Camillo Baldi. Celui-ci devait publier, en 1622, un ouvrage, traduit plus tard, en 1664, en latin, par Petrus Velleius et remis en français par Joseph Depoin sous le titre de *Traité des indices tirés des lettres missives ou l'art de connaître à l'examen d'une telle missive les mœurs et les habitudes du scripteur* (1900). La graphologie se développe grâce à Jean Hippolyte Michon (1806-1881). Celui-ci en formule la théorie dans son *Système de graphologie. L'art de connaître les hommes d'après leur écriture*, et la méthode avec *Méthode pratique de graphologie*. Il faut enfin noter l'action systématique de Jules Crépieux-Jamin (1859-1940). L'hypothèse sémiologique de la graphologie repose sur la théorie du signe naturel. Il existerait un signifié psychique se manifestant dans le signifiant graphique. L'étude du processus de réalisation a permis de faire l'inventaire de sept critères principaux : la vitesse, la pression, la direction, la dimension, la continuité, la forme et l'ordonnance. Les formes produites ont été classées en quinze catégories. Chacune d'elles est définie par ses traits pertinents. Du caractère on remonte à la physiologie. L'écriture exprime les diverses maladies, les sexes, les âges. La sociologie est aussi concernée : le graphisme révèle la psychologie des peuples, l'évolution des civilisations. La graphologie s'est développée dans diverses directions : psychanalyse, psychiatrie, médecine, psychotechnie, psychopédagogie. Les applications concrètes dans la vie sociale lui ont permis d'être employée dans le recrutement des personnels, en justice pour les expertises, etc.

3. **L'idéographie scripturale esthétique manuscrite : la calligraphie.** — La calligraphie se définit comme un art de former des caractères d'une manière élégante et décorative. Toutes les écritures l'ont employée depuis l'écriture chinoise.

Dans les systèmes précédents il existe une signification voulue ou inconsciente de la forme graphique. L'information et la valeur rationnelle sont dominantes.

La perspective de la calligraphie est différente. L'imagination et l'émotion reçue à la lecture lui font concevoir des styles de lettres. La méthode employée repose, le plus souvent, sur la redondance graphique et la symétrie créatrices d'harmonie. Chaque style se définit par des traits graphiques pertinents appliqués systématiquement à tous les caractères. Elle se spécialise enfin en fonction de certaines activités : la calligraphie de chancellerie, par exemple.

4. **L'idéographie scripturale esthétique imprimée : la typographie.** — L'imprimerie n'a rien changé au principe fondamental des formes décoratives des caractères. La différence tient au système d'inscription.

Les normes existent aussi. Elles sont mécanisées par le poinçon, le moule, la fonte du caractère. Les variations individuelles du tracé manuel sont éliminées et remplacées par la constance des formes. On peut donc parler de schématisation de la calligraphie par l'art typographique. Celle-ci sera amplifiée par la digitalisation des formes informatisées (*Schéma et schématisation*, nº 24, Paris, SBS, 1986). L'art typographique est composé de l'ensemble des styles et des polices de caractères créées depuis le XVe siècle. René Ponot à partir de 1969 en a fait l'histoire dans la classification des caractères d'imprimerie — les Humanes, les Garaldes (*Revue graphique. Imprivaria*, 1979). On se base, en France principalement, sur les deux classifications de Francis Thibaudeau, en 1921 *(La lettre d'imprimerie)* et celle de Maximilien Vox en 1954. Des associations se sont créées : Les Compagnons de Lure et l'Association typographique internationale (A. Typ. I.). Une approche sémiologique a été effectuée par Gérard Blanchard (*Pour une sémiologie de la typographie*, Ardenne, R. Magermans, 1979). Les travaux des chercheurs sont publiés par François Richaudeau dans sa revue *Communication et Langages* (Paris, Retz). Sous le terme explicite de typométrie Tibor Papp a entrepris une recherche quantitative dans le cadre de la SBS (Société de Bibliologie et de Schématisation). Une autre orientation consiste à faire intervenir une interprétation fondée sur la schématisation. Caractères et mise en page relèveraient de schémas graphiques eux-mêmes idéographiques.

5. **L'idéographie scripturale artistique : le Mouvement et la Génération du signe.** — De l'idéographie esthétique à l'idéographie artistique des formes scripturales il n'y a qu'un pas qui est vite franchi.

L'idéographie scripturale artistique a sa propre spécificité. Elle cherche à exprimer des sens, des sentiments et des sensations produits par l'imaginaire poétique en se servant des formes des caractères. Il s'agit donc, là aussi, d'idéographie des signifiants graphiques. La nature des signes relève généralement de deux ordres. Ils sont ou bien figuratifs (*Calligrammes* d'Apollinaire) ou bien symboliques et analogiques (Mallarmé dans *Un coup de dés jamais n'abolira le hasard*). On peut mentionner dans cette direction la théorie du *Complément du mot* (*Grammes 1, Revue du groupe lettriste et hypergraphique*, Paris, 1957).

L'idéographie scripturale artistique a été pratiquée de tout temps. Il s'agit d'un mouvement plus ou moins continu de création littéraire et artistique à la limite de l'écriture et de l'image. Il a tendance à se développer à certaines phases des civilisations. C'est ce qui s'est passé au XXe siècle. Ce mouvement s'est systématisé après le deuxième conflit mondial dans le cadre de l'Informel, du Lettrisme (Lettrisme, *Dictionnaire des Littératures en Langue française*, Paris, Bordas, 1984).

IX. — La graphie et l'image : bibliologie graphique et iconologie

L'énonciation scripturale achevée, le signe d'écriture est tracé. Une interrogation subsiste : qu'est-ce donc que cette forme scripturale ? Une image visuelle ? Quelles différences peut-il exister entre les formes géométriques d'écriture et les autres images ?

La question de la relation de l'écrit à l'image est posée. Le schéma d'étude de l'écrit manuscrit s'élargit. Au croisement de la bibliologie et de l'iconologie se situe la bibliologie graphique (3).

1. **La typologie des images : échelles d'iconicité et de schématisation.** — L'iconographie est à l'iconologie ce que la bibliographie est à la bibliologie : la description et la classification des formes iconiques. Le résultat en est une typologie qui doit définir les critères employés et le sens de la classification. La plus importante des classifications est sans doute celle d'A. Moles parue dans la revue *Schéma et schématisation* (1 et 2) sous l'appellation d'échelle d'iconicité. L'auteur inventorie douze degrés théoriques d'iconicité, s'orientant de l'objet lui-même aux signes mathématiques en passant par les images figuratives, schématiques et l'écriture. Il s'est avéré que chaque groupe d'objets porteur d'images avait un langage iconique spécifique. En s'interrogeant sur la nature de cette échelle on a observé qu'il s'agissait d'une schématisation progressive des formes. Une même notion peut être représentée de manière de plus en plus figurative ou de plus en plus abstraite. L'étude de l'évolution de l'image a permis de mettre en application cette échelle en utilisant la théorie des cycles. Tantôt la création collective ou individuelle s'oriente vers l'image et tantôt vers le signe. Ces cycles, comme

(3) R. Estivals et J.-Ch. Gaudy, *L'évolution graphique des plans de Paris. Introduction à la bibliologie graphique*, Paris, SBS, 1983.

l'a montré J.-C. Gaudy, ont des périodicités différentes (*Schéma et schématisation*, n° 11, Paris, SBS, 1979). La méthodologie statistique a été employée sous le nom de bibliométrie graphique. Une science particulière a été créée : la bibliologie graphique. Divers types de documents iconiques ont été étudiés : affiches, illustrations, etc.

B) *Les catégories d'images.* — L'évolution récente de la recherche permet de réduire cette échelle à cinq grands groupes d'images orientés de la figuration à la trace, et d'y positionner l'écrit.

a) L'image. — L'image représente, reproduit le réel perçu, mémorisé, imaginé. Elle doit être ressemblante et fait intervenir l'analogie. Elle est synthétique, comme l'image mentale est globale. Elle utilise la surface pour s'identifier à l'image mentale. Elle le fait néanmoins en fonction d'*a priori* ou codes culturels (4). Les images peuvent être regroupées en catégories et classées en fonction de leur degré de réalisme comme l'a fait A. Moles. En passant de l'une à l'autre on perd l'un des critères constitutifs de la réalité : tridimensionalité, couleur, perspective et modelé, surface. Au point maximum de réduction l'image cesse de l'être parce qu'elle n'est plus reconnaissable. C'est le seuil de lisibilité. Les codes deviennent nécessaires. La sémiologie de l'image a permis de faire la différence entre la dénotation et la connotation. Barthes a mis en valeur le caractère rayonnant de la lecture de l'image (*Eléments de sémiologie, rhétorique de l'image*, etc.).

b) Le schéma. — Le schéma est une figure simplifiée du réel (Etude des mots schéma et image, *Schéma et schématisation,* 3 fasc., 1967-1968). Il en exprime la structure, le système, ses principes et son organisation. Il a donc un référent. Il est l'image du

(4) G. Gauthier, *Vingt leçons sur l'image et le sens*, Paris, Edilig, 1982.

schème mental que nous construisons pour comprendre ou construire le réel.

Il est, comme l'image, une figure synthétique. Mais il élimine la surface couverte par l'image et la remplace par la ligne et le signe. Sous le terme de schéma sont regroupés des schémas d'objets, des diagrammes, des histogrammes, des organigrammes, des plans, etc.

c) Les signes graphiques. — Cette catégorie regroupe les systèmes de signes généraux (écriture) et spécialisés (signes mathématiques, etc.). Ils sont l'expression fixée de la compréhension par la conceptualisation.

Leur énonciation se manifeste sous la forme d'un flux séquentiel. La fixation de tout ou partie de la pensée conduit à la création de signes, isolés les uns des autres, en séquences, s'organisant selon une linéarité correspondant aux flux intellectuel et verbal.

d) Les figures ornementales. — Au-delà de la signification se situent un certain nombre de figures relevant de l'imagination esthétique. Elles s'ajoutent aux précédentes dans un but décoratif et ornemental.

e) Les traces. — Graffitis, signes naturels produits par l'homme ou la nature, les traces sont la manifestation de l'instinct ou du hasard. Elles n'ont pas non plus de référent et de signifié volontaire. Mais elles peuvent faire l'objet d'interprétations magiques et religieuses ou scientifiques.

2. **L'écrit, le schéma et l'image.** — L'écrit constitue donc une catégorie iconique. Sa spécificité est de reproduire et de fixer la pensée. L'écriture se distingue de l'image et du schéma qui sont de nature synthétique, par sa linéarité séquentielle. Elle est différente de l'ornementation et des traces par la signification.

X. — L'écrit et le document : bibliologie, informatologie et documentologie

La graphie c'est l'écriture inscrite. Ce n'est pas encore l'écrit. On ne l'étudie qu'en procédant à une analyse qui la sépare du support qui l'a reçue. Il faut maintenant s'interroger sur la nature de celui-ci et sur son devenir.

1. **Bibliologie et informatologie.** — On sait que l'écrit est un objet fabriqué porteur de signes d'écriture fixant la pensée directement ou indirectement par la langue. L'écrit est donc une mémoire. Comme la mémoire humaine il enregistre des connaissances mais il se différencie de la mémoire humaine qui, elle est subjective. Celle-ci repose sur la structure neuronale et biochimique du cerveau. L'écrit est une mémoire objective dont la composition est physicochimique. Il est une manière d'éterniser la connaissance en la fixant. C'est pourquoi on dit de lui que c'est la mémoire de l'humanité.

Cette séparation de la connaissance pensée et de la connaissance fixée, fait de l'écrit, au sens propre du terme, un médium. La supportologie, discipline qui étudie les supports, fait la différence entre les supports fugitifs (la parole, le geste) et les supports durables.

Ainsi l'objet écrit, mémoire objective, médium, constitue un document.

Les études récentes menées sur l'écrit et le document ont précisé les relations des deux termes et des deux disciplines qui en traitent : la bibliologie et la documentologie. Elles ont mis en valeur le caractère ambigu du sens du mot document. L'écrit, comme médium, devient un document dès lors qu'il est pris en compte par un lecteur.

Que se passe-t-il alors ? L'écrit, mémoire objective de l'écrivant est perçu, décodé, compris par l'acte de lecture. La transformation de l'objet écrit en document réel, subjectivise à nouveau le message. L'acte de communication, de mise en commun se réalise.

Mais cette transformation de l'écrit en document introduit une nouvelle notion : l'information. La recherche des documents est une recherche d'information. L'information, c'est le contenu, le sens, la connaissance mise à l'intérieur d'une forme. On comprend mieux pourquoi la mémoire fixée dans le médium, devenant un document, fournit une information. Le lecteur, par l'acte de décodage de la lecture, en fonction de son stock de formes et de connaissances mémorisées, découvre un sens dans les caractères de l'écriture fixés sur le support.

2. **Bibliologie et documentologie.** — Dire que l'écrit est un document, c'est poser la question des rapports entre la bibliologie et la documentologie.

Un document est un objet porteur d'informations. Cela suppose qu'il est un médium fixé. Sont donc écartés tous les supports fugitifs. A ce point tout élément matériel est, ou peut devenir, un document. Le premier critère possible est celui de la forme. Un objet peut fournir une information parce qu'il possède une forme particulière. D'autres critères interviennent encore : le type de production, naturel ou fabriqué ; la procédure informative induite ou directe et langagière ; les notions d'inscrit et d'écrit. Si les objets de la nature sont porteurs d'information, il en est de même des objets fabriqués et notamment de ceux qui sont créés par l'homme. Mais ils ne permettent pas de restituer directement la pensée de l'émetteur. Cette observation amène à dégager l'importance des documents langagiers, produits par l'homme, à partir des systèmes de signes. A ce point deux nouveaux critères permettent d'achever la création d'une typologie des documents. Le premier concerne le type de langage correspondant aux activités mentales : scriptural et iconique. Le second relève de l'outil d'inscription et fait intervenir les critères d'inscrit et d'écrit. Les documents directs peuvent être écrits ou figuratifs. Mais ils peuvent être inscrits. Il s'agit dès lors de restituer l'émetteur lui-même, soit analytiquement, dans son aspect relevant de la vue, ou dans ses manifestations verbales concernant l'ouïe ; soit, synthétiquement, en faisant intervenir les deux. C'est la fonction des médias audio-visuels. Ils visent à fixer les langages fugitifs. Ils le font par des processus physique et mécanique (disque), chimique (film), électronique (bande magnétique), etc. (R. Estivals, *Schémas pour la bibliologie*, Viry-Châtillon, SEDIEP, 1976).

La constitution d'une typologie des documents permet ainsi de positionner l'écrit. C'est un objet fabriqué par l'homme ; il est porteur d'une information accessible directement ; il l'est grâce à son système de signes fixés et conventionnels enregistrant la pensée.

Dès lors la bibliologie, science de l'écrit, ne constitue qu'une partie de la documentologie, science du document.

3. **Les sciences bibliologiques du document.** — Diverses catégories de documents écrits ont fait l'objet de sciences particulières.

A) *La numismatique*. — Le nom de cette discipline provient du latin *numisma* et du grec *nomisma* (monnaie). Elle traite de la description, de la classification, de l'histoire et de la fonction des monnaies, des médailles, des jetons, etc. L'écrit y joue un rôle particulier. C'est le cas également pour d'autres catégories de documents. La philatélie par exemple.

B) *La sigillographie*. — Ce mot est composé à partir du latin *sigillum* (sceau). Cette science auxiliaire de l'histoire a pour objet l'étude des sceaux. Ceux-ci ont généralement pour mission de conserver, comme un témoignage irrécusable, les engagements pris. Ils interviennent dans divers domaines : économique, administratif, politique, religieux. La sigillographie inventorie, décrit, classe et cherche à expliquer les sceaux produits dans toutes les sociétés.

C) *L'épigraphie.* — L'épigraphie (du grec *épi*, sur, et *graphein*, écrire) étudie les inscriptions sur matière dure comme le métal et la pierre. Elle relève les inscriptions, les épitaphes, les actes publics ou privés qui nous permettent des explications sur les textes. Sous l'angle philologique et graphique, elle relève les abréviations, les sigles, les ligatures. Elle constitue des corpus. Elle divise son champ d'étude en tranches sociohistoriques. Elle offre des informations relatives à l'histoire des écritures et des sociétés (droit, religion, etc.).

D) *La papyrologie.* — Cette discipline (du grec *papuros*, roseau) étudie les documents écrits dont les supports sont constitués de papyrus. Elle s'intéresse particulièrement aux manuscrits grecs et latins. A partir d'un déchiffrement rendu parfois difficile, elle cherche à reconstituer des textes, le plus souvent par analogie avec d'autres.

E) *La codicologie.* — La codicologie (du latin *codex*, livre) est une discipline qui a cherché à se dissocier de la paléographie, particulièrement à la fin du XIXe siècle. Elle s'occupe des manuscrits non pas tant comme porteurs de textes, mais comme possédant une vie propre. Elle étudie les collections de manuscrits, le lieu de leur conservation, leur reproduction, leur reliure, les catalogues qui les enregistrent.

CHAPITRE V

LES ÉCRITS : BIBLIOLOGIE HISTORIQUE, BIBLIOGRAPHIE ET SYSTÉMIQUE BIBLIOLOGIQUE

L'écrit renvoie aux écrits ; la création individuelle à la communication sociale. Comment procéder ? Par la méthode scientifique habituelle : inventaire des écrits, élaboration d'une typologie pour leur classement, tentative d'explication. Le premier point relève de l'histoire des écrits ; le second de la bibliographie et de la documentographie ; le troisième de la systémique bibliologique.

I. — La phénoménologie bibliologique : la bibliologie historique

1. **L'historiographie de la bibliologie historique.** — L'inventaire et la description des écrits posent une question méthodologique préliminaire : comment faire ? L'histoire de l'écrit a progressivement élaboré un schéma d'étude depuis une perspective religieuse initiale jusqu'à la conception sociocommunicationnelle contemporaine.

A) *La bibliologie théologique historique*. — Dès l'origine et l'animisme primitif, la graphie est sacrée.

Selon Otlet, l'étude générale du caractère sacré du livre et de l'écrit fait l'objet de la bibliologie théologique.

B) *L'histoire de l'écriture.* — L'étude expérimentale de l'écrit se développe principalement avec le XVIIIe siècle et les Encyclopédistes. Faire l'inventaire des connaissances humaines c'est questionner le passé, donc les écritures. On s'interroge sur l'histoire et les techniques d'écriture. La paléographie prend son essor. L'*Encyclopédie* de Diderot en décrit les orientations.

C) *L'histoire bibliophilique du livre.* — L'historiographie de l'écrit élargit sa problématique avec la Révolution française. De l'écriture on passe au document écrit, le livre. La nationalisation des biens du clergé et d'un certain nombre de privilégiés est aussi celle de leurs bibliothèques. Bibliothécaires, bibliophiles, libraires, à des titres divers, sont intéressés par ces ouvrages. Il faut donc les conserver, les décrire, les comparer, faire l'histoire du livre. Ce sera la démarche de G. Peignot, de Brunet, etc.

D) *L'histoire technique et économique du livre.* — La production des livres, selon les estimations est multipliée par vingt ou par trente entre la fin du XVIIIe siècle et la fin du XIXe. La presse écrite prend des dimensions considérables. La technologie doit suivre. Les conditions financières deviennent fondamentales. L'histoire économique, technique, éditoriale du livre s'impose. C'est le cas avec Paul Mellotée à la fin du XIXe siècle.

E) *L'histoire de la communication écrite.* — Daniel Mornet, en 1910, crée l'histoire statistique de la lecture en étudiant les catalogues des bibliothèques des privilégiés. Il analyse l'évolution des modes et des cycles de la lecture (1). Après la seconde guerre mondiale la lecture devient l'objet d'analyses historiques.

(1) D. Mornet, Les enseignements des bibliothèques privées 1751-1780, *Revue d'Histoire littéraire de la France*, 1910.

L'une des premières fut celle de R. Escarpit, P. Orecchioni et N. Robine (*La lecture populaire du Moyen Age à nos jours*, Bordeaux, Centre d'Etude des Faits littéraires, 1965).

F) *L'histoire sociologique et politique du livre.* — Comment comprendre le livre, l'édition, la communication écrite sans les situer dans leur contexte global, la société ?

Dans l'entre-deux-guerres on voit apparaître, dans l'*Encyclopédie française* (A. de Monzie), une histoire culturelle de l'écrit. Après le second conflit mondial l'histoire du livre devient économique et sociale avec L. Febvre et H.-J. Martin (*L'apparition du livre*, Paris, Albin Michel, 1958). Elle s'ouvre largement sur l'histoire politique et culturelle grâce à H.-J. Martin (2) et aux travaux qui ont suivi. L'interprétation politique est l'objet d'analyses récentes (3).

G) *L'histoire statistique du livre : la bibliométrie.* — La statistique est appliquée à l'histoire du livre dès le début du XIXe siècle. Röthlisberger élabore la statistique internationale des imprimés à partir de 1888 dans le Droit d'auteur. Otlet, D. Mornet, Muszkowski, Rulikowski, Zoltowski (4) l'utiliseront dans des buts différents. La production intellectuelle de la France a fait l'objet de travaux plus récents (R. Estivals, *La statistique bibliographique de la France sous la Monarchie au XVIIIe siècle*, Paris, Mouton, 1965). D'autres applications en ont été faites à l'étude lexicale des titres et des images (R. Estivals et J.-C. Gaudy, L'avant-garde, étude historique et sociologique des publications périodiques ayant pour titre *L'Avant-*

(2) H.-J. Martin, *Livre, pouvoirs et sociétés dans la France du XVIIe siècle*, Genève, Droz, 1969.

(3) R. Estivals, *Le livre dans le monde*, Paris, Retz, 1985.

(4) V. Zoltowski, *La fonction sociale du temps et de l'espace. Contribution à la théorie expérimentale de la connaissance*, Paris, M. Rivière, 1947 ; Les cycles de la création intellectuelle et artistique, *L'Année sociologique*, Paris, PUF, 1952.

garde, Paris, BN, 1968 ; *L'évolution graphique des plans de Paris, introduction à la bibliologie graphique*, Paris, SBS, 1983).

H) *Le schéma bibliologique.* — L'historiographie de l'écrit s'est donc élargie. Une synthèse était devenue nécessaire vers les années 1970. Il convenait de procéder à une réflexion systématique sur les éléments constitutifs de la communication écrite et sur les perspectives scientifiques à partir desquelles ils peuvent être étudiés (v. chap. VI).

Le croisement de ces deux séries de données permit la constitution d'un tableau à double entrée : le schéma bibliologique (5).

I) *La systémique bibliologique.* — Cette systématisation ouvrait la voie d'une recherche structurelle du livre. Le schéma bibliologique débouche sur la systémique bibliologique.

C'est l'objet des recherches actuelles.

2. **Typologie historique des écrits.** — L'histoire permet d'inventorier plusieurs systèmes de documents écrits : l'écrit et le livre manuscrit ; le livre imprimé ; l'écrit imprimé périodique ; l'écrit documentaire ; l'écrit lumineux et l'écrit informatisé. Tous ont en commun l'écrit. On doit donc s'interroger sur la spécificité de chacun d'eux.

A) *L'écrit manuscrit.* — L'écrit manuscrit trouve son origine dans les traces graphiques produites par les sociétés préhistoriques. Mais il n'existe vraiment qu'au moment où l'écriture est inventée. Sa multiplication à plusieurs exemplaires a conduit à la création d'un appareil de production : les copistes-libraires dans l'Antiquité et au Moyen Age. Dans le système de communication, l'écrit manuscrit relève de deux cri-

(5) R. Estivals, *Schémas pour la bibliologie*, Viry-Châtillon, SEDIEP, 1976.

tères : le système d'écriture (système de signes) et le système d'inscription. Ces deux éléments constituent une réponse à une demande de communication sociale : la nécessité, pour les sociétés organisées de pouvoir communiquer la pensée à distance et dans le temps.

B) *Le livre imprimé*. — Le livre imprimé fait intervenir une machine et développe une organisation, ce qu'on nommera, au XIXe siècle, l'édition. Il attire l'attention sur d'autres éléments du système de communication : les critères de reproduction, d'exemplaire et de tirage.

La machine à imprimer constitue une entité physique indépendante. Elle requiert pour sa création l'intervention des sciences et de plusieurs techniques : la physique pour les matériaux et les alliages ; la mécanique pour l'ensemble du processus opératoire ; la chimie pour les encres et les papiers, etc. L'homme invente ainsi, une première fois, un appareil susceptible de remplacer son action personnelle.

Pour le reste, l'imprimerie ne fait que développer, à partir d'un personnel technique nouveau, les structures existantes des corporations du livre du Moyen Age. L'écrit imprimé se substitue à l'écrit manuscrit.

Dans le système de reproduction de l'écrit, l'imprimerie possède un avantage décisif : elle permet la multiplication presque infinie du manuscrit de quelques centaines à des millions d'exemplaires. Avec l'imprimerie le système de reproduction devient indépendant du système d'inscription. Pour en arriver là il a fallu que les besoins de communication écrite et le nombre des lecteurs augmentent. Ces faits sont la conséquence du développement du capitalisme commercial européen du XIVe au XVIe siècle et de l'enseignement.

C) *L'écrit imprimé périodique : la presse écrite*. — La publication périodique constitue l'une des catégories essentielles de documents imprimés. Elle repose sur deux principes complémentaires : la continuité de publication, à espace de temps généralement régulier, d'un ouvrage portant le même titre ; le changement, constant d'un numéro à l'autre, de l'information transmise

La presse écrite dans la communication s'intéresse au contenu de l'information. Elle transmet la nouvelle. Elle l'enregistre en fonction de la périodicité choisie : quotidienne, hebdomadaire, mensuelle, bimestrielle, annuelle. Elle oblige à diviser le savoir en deux parties : la connaissance nouvelle se différencie de la connaissance ancienne. L'imprimé périodique s'oppose au livre imprimé. Il le limite. Il le spécialise dans la communication de la connaissance ancienne, voire récente, mais non immédiate.

La notion de nouveauté liée à celle de temps concerne toute la chaîne de communication. Celle-ci oblige l'écrit périodique à créer une organisation spécifique, l'entreprise de presse. Il faut un appareil financier, littéraire, technique approprié. Dès l'origine la presse périodique est associée à la poste ; plus tard se constitueront les agences de presse internationales et nationales comme Havas, France Presse. Une catégorie nouvelle d'écrivains apparaît pour traiter l'actualité : les journalistes. Ceux-ci produisent des textes relativement courts, des articles. Le temps agit encore pour modifier les techniques d'impression. Il faut produire rapidement, en quelques heures, de nombreux exemplaires. La presse accélère l'innovation technique : papier sans fin, rotatives typo, machines composeuses (linotype), rotatives hélio, offset, photocomposition, etc.

Le résultat, c'est l'apparition de catégories de documents périodiques différents faisant intervenir plusieurs critères : le temps (quotidien, journaux du matin et du soir, hebdomadaires, mensuels, etc.) ; l'espace (journaux internationaux, nationaux, régionaux) ; le contenu (quotidiens d'information générale, magazines illustrés, périodiques doctrinaux, littéraires, scientifiques, documentaires) ; les catégories de publics concernés (journaux populaires, contestataires), etc. Ces critères se croisent : un journal national sera quotidien, politique, d'information générale et visera un public précis, etc.

L'imprimé périodique limite le livre. Le périodique apparaît avec la nécessité d'informer, dès le XVe siècle sur les ouvrages nouvellement publiés. Au début du XVIIe siècle le mouvement est lancé avec les Gazettes (Anvers, 1605 ; Augsbourg, 1609 ; Francfort, 1615 ; Paris et Théophraste Renaudot, 1631, etc.). En France, la presse littéraire se développe dans la deuxième moitié du XVIIe siècle (*Le Journal des Savants*, 1665). Le premier quotidien fait son apparition en 1777 avec le *Journal de Paris*. La Révolution multiplie les journaux. On n'en compte pas moins de 1 350 entre 1789 et 1800. Progressivement, à travers le XIXe siècle, la presse périodique se développe. La concurrence des deux types d'imprimés fait alors la préoccupation constante des professionnels.

L'évolution de la société rend compte de la presse écrite. Celle-ci accompagne le grand mouvement du libéralisme, du capitalisme industriel du XIXe siècle, de l'invention scientifique et technique, de la croissance démographique, de l'extension de la scolarisation et de l'alphabétisation, de l'essor de la démocratisation politique, enfin de la naissance et du développement de l'opinion publique.

D) *L'écrit imprimé institutionnel et documentaire*. — Au livre imprimé et au périodique va bientôt s'ajouter l'écrit institutionnel et documentaire. Les institutions productives de textes, publiques et privées, ont toujours existé. Ces documents regroupés dans les archives sont l'objet d'étude de l'archivistique. Mais, à partir de la fin du XIXe siècle principalement, on commence à voir se développer le concept de documentation. Dès 1895 Otlet fonde l'Institut international de Bibliographie (IIB) qui devient en 1931, l'Institut international de Documentation (IID), puis, en 1938, la Fédération internationale de la Documentation (FID). D'autres structures et diverses publications assurent aujourd'hui la coordination et la coopération aux échelons nationaux et internationaux.

De quoi s'agit-il ? L'écrit institutionnel et documentaire concerne le lecteur. Il introduit l'idée d'utilité de l'information reçue. L'écrit manuscrit, le livre imprimé et le périodique avaient en commun l'information du lecteur. Ce but était une fin en soi. La lecture achevée, le livre et le périodique sont classés sur les rayons des bibliothèques ou jetés au panier. L'écrit institutionnel et documentaire conduit à se poser la question de l'utilité de l'information pour le lecteur, il intègre le processus de communication écrite dans le champ de l'action.

La chaîne institutionnelle et documentaire se situe chronologiquement après les deux précédentes qui constituent la chaîne primaire. Elle se greffe sur cette dernière. C'est une chaîne secondaire. Elle emploie aussi bien le livre que le périodique. Comme l'action exige la nouveauté elle a tendance à préférer ce dernier. Cette chaîne secondaire de documentation se développe dans les entreprises politiques, militaires, économiques, scientifiques, techniques, culturelles, littéraires ou artistiques. Elle se situe dans le cadre de la théorie de l'activité et de sa problématique : il faut connaître pour créer ; créer pour produire et distribuer et permettre ainsi la consommation. L'écrit documentaire intervient donc principalement au niveau de la première phase de la problématique : le bilan.

Dans les entreprises de plus en plus importantes la nécessité d'organiser un service chargé d'acquérir et de divulguer l'information s'impose progressivement. Cette finalité crée la technique documentaire. Il faut acquérir et faire l'inventaire des documents primaires (livres, périodiques, etc.). L'acquisition renvoie à l'analyse documentaire (description bibliographique, thésaurus, création de catalogues collectifs, de bibliographies, de bulletins signalétiques, etc.).

Il faut ensuite sélectionner l'information demandée (fiches, cartes, bandes, perforées, résumés, etc.). Enfin il sera nécessaire de les reproduire et d'assurer leur distribution auprès des services concernés de l'entreprise. La chaîne secondaire de la documentation crée une nouvelle structure : l'édition d'entreprise. Celle-ci est moins publique que privée, moins générale que spécialisée. Les documents produits sont d'un genre particulier et leurs destinataires moins nombreux. C'est pourquoi on a parlé de littérature souterraine ou de littérature grise. Le terme d'écrit documentaire paraît plus approprié puisqu'il s'agit d'utilité de l'information. L'écrit documentaire intervient dans les chaînes primaires (entreprise de presse et maison d'édition), qui possèdent aussi des besoins d'information. Elles ont constitué des services de documentation. En se développant les centres de documentation ont été souvent perçus comme des concurrents des bibliothèques. L'écrit documentaire ne constitue qu'une partie des écrits d'entreprise qui assurent, avec les entretiens et les réunions, l'essentiel de la communication utilitaire. L'écrit documentaire s'ajoute aux autres genres littéraires de l'entreprise : note d'information (existence d'un problème), compte rendu et procès verbal (description des faits), rapport (traitement d'un problème), étude (recherche de solutions), contrat (rédaction d'un accord au terme d'une négociation), cahier des charges (conditions d'application), notes de services et circulaires (information sur des décisions prises), mode opératoire et consigne de sécurité (phases et points clés de l'exécution d'une tâche), etc.

Enfin ces écrits documentaires prendront des noms différents selon la nature de l'organisation (publications officielles de l'état ; thèses, mémoires universitaires et scientifiques, etc.).

Le développement de l'écrit documentaire s'explique aussi par l'essor industriel, scientifique, militaire de la deuxième moitié du XIXe siècle. Il débouche aujourd'hui sur les concepts d'information scientifique et technique.

E) *L'écrit lumineux et fugitif.* — L'écrit conserve, jusqu'à la fin du XIXe siècle, des traits caractéristiques identiques : les signes sont fixés sur un support opaque dans le plus grand nombre des cas. Ils sont durables à moins de les gommer (palimpseste). La réflexion de la lumière sur le support et le signe d'écriture permet la lecture. Celle-ci repose sur un contraste chromatique : signe foncé sur support clair ou l'inverse.

Le XXe siècle, principalement, voit le succès de l'écrit lumineux. Celui-ci fait appel à une technologie particulière et repose sur un principe tout différent. L'écrit est obtenu par projection lumineuse sur un écran grâce à l'intervention d'une technologie. L'écran est la surface délimitée sur laquelle le texte apparaît. Il peut être opaque dans les salles de cinéma. Il peut être translucide avec la télévision et l'ordinateur. L'écran est une surface vierge, qui permet l'apparition de textes successifs. L'écrit ne peut exister sans lumière. Les premiers essais d'écrit lumineux se servaient de la lumière naturelle. Mais plus tard des plaques de verres porteuses de signes et des papiers transparents furent utilisés avec la lanterne magique. La source lumineuse est aujourd'hui l'électricité. Par rapport au spectateur, elle peut être placée devant ou derrière l'écran. Avec le cinéma la lumière arrive devant et réclame l'écran opaque. Avec les enseignes, la télévision et l'ordinateur la source lumineuse est placée derrière. L'existence de celle-ci est nécessaire mais non suffisante. L'écran de cinéma ou de télévision, éclairé mais sans projection, reste vide.

Il convient donc qu'un dispositif technique permette de projeter des formes. Plusieurs technologies successives ont été employées. Le film, reposant sur un procédé physicochimique permet, après l'invention de la photographie (Niepce, 1829), de projeter des vues fixes. A la fin du XIXe siècle, entre 1890 et 1895

(Marey, Edison, les frères Lumière), les images deviennent mobiles grâce au film avec le cinématographe.

La télévision qui transmet à distance des formes animées par courants électriques et ondes hertziennes fut mise au point dans l'entre-deux-guerres principalement entre 1929 et 1932 (René Barthélémy, Henri de France, Vladimir Zworykin). L'utilisation des techniques électromagnétiques a permis la création du magnétoscope. L'électronique a créé l'ordinateur depuis la fin de la seconde guerre mondiale.

Ces techniques sont, dans un certain nombre de cas créatrices de documents scripturaux, indirects ou virtuels. Pour obtenir le texte sur l'écran, dans le cas de la diapositive ou du film il faut que le texte soit déjà intégré au support. C'est encore le cas avec le procédé électromagnétique sur bande utilisé par le magnétoscope. C'est aussi ce qui se passe avec la cassette ou la disquette de l'ordinateur. L'écrit n'est pas directement accessible à la lecture. Pour y parvenir il faut obtenir sa restitution et son agrandissement par un procédé technique.

L'écrit lumineux possède donc certaines propriétés. Il n'est pas fixé sur le support de l'écran. L'écrit lumineux est fugitif. Sa durée est celle de l'émission lumineuse ou luminescente. Il renouvelle le système d'inscription et de reproduction.

Il crée ainsi une révolution du médium scriptural.

Néanmoins celle-ci n'était pas recherchée pour l'écrit lui-même. Elle n'est qu'une conséquence des travaux qui avaient pour but de restituer la communication naturelle et directe reposant sur la voix et le geste. Elle est différée par l'écrit et l'image fixée. Or le besoin d'une communication rapide, qui caractérise la société moderne, obligeait à tenter de restituer l'émetteur dans le champ de la communication à distance et dans le temps. Il fallait trouver un moyen qui permette de regrouper les deux avantages de la communication directe (orale et visuelle) et de la communication écrite (différée).

Les solutions apportées dépendent de l'essor des sciences exactes. Plusieurs critères guidaient la recherche : restitution immédiate ou différée, partielle et analytique (voix ou geste) ou synthétique (les deux à la fois) ; restitution individuelle ou collective avec ou sans rétroaction, etc. Le téléphone, la radio permettent de percevoir la voix à distance, individuellement et avec rétroaction ou collectivement et sans réponse. Le disque et le magnétophone visent à reproduire le son dans le futur. Ils obligent à faire intervenir des procédés d'inscription mécanique ou électromagnétique et constituent des catégories de documents. La photographie et le film muet reproduisent l'aspect physique, saisi instantanément ou en mouvement. Cette restitution de l'émetteur, en tout ou en partie, immédiate à travers l'espace ou différée dans le temps, mettait en question la prépondérance de l'écrit. L'écrit lumineux n'est plus alors qu'un épiphénomène du système audio-visuel. Son importance est limitée dans le film muet, le film sonore, la télévision. Il est marginalisé. Mais il n'est pas éliminé. Il n'est plus qu'un langage complémentaire. L'écrit lumineux prend sa revanche dans certaines catégories de documents. C'est le cas de la microfiche, du microfilm, du vidéotex. L'étude comparée de l'écrit et des autres catégories de signes iconiques et phonétiques devrait préciser sa spécificité. C'est rejoindre ici la perspective de Jean Cloutier sur l'audio-scripto-visuel. Cette création de l'écrit lumineux a entraîné une autre conséquence : la constitution de chaînes distinctes ou intégrées de production et de reproduction. Les industries de la photographie, du cinéma, du magnétoscope, de la télévision, se sont constituées et plus ou moins intégrées les unes aux autres. L'écrit documentaire avait entraîné la constitution de la chaîne secondaire. Les industries de l'audio-visuel constituent des chaînes primaires parallèles aux chaînes de l'écrit imprimé périodique ou non périodique avec lesquelles elles ont d'inévitables relations.

F) *L'écrit informatisé : la bibliomatique.* — L'écrit informatisé constitue, sous le terme de bibliomatique (R. L. Baticle) l'une des disciplines de la bibliologie.

C'est, en partie, un écrit luminescent comme l'écrit télévisuel. A ce titre, il possède des propriétés comparables : il apparaît sur un écran ; il est mobile et se déroule comme le *volumen* antique ; il est fugitif.

Mais l'écrit informatisé est plus qu'un écrit lumineux. La chaîne informatique a des ambitions plus grandes que l'écrit audio-visuel. Elle s'attaque au fonctionnement intellectuel de l'émetteur et vise à le remplacer. Du langage elle remonte à son origine, la pensée. L'ordinateur a donc partie liée à l'intelligence artificielle. Il s'agit de créer des machines susceptibles non plus seulement de faire et de montrer, mais en quelque sorte de réfléchir.

L'ordinateur d'aujourd'hui comporte une mémoire et un raisonnement grâce aux processus de réflexion automatisés des logiciels. En aval de l'écran, l'ordinateur relié à une imprimante reproduit les textes rédigés sur l'écran. L'écrit informatisé est donc à la fois lumineux et imprimé. Il fait une synthèse des formes antérieures de l'écrit. Il revalorise l'écrit mis en question par l'audio-visuel. L'écrit informatisé fait partie d'une chaîne intellectuelle et médiatique. Grâce aux banques et aux bases de données l'ordinateur se substitue, en partie, aux bibliothèques et aux centres de documentation. Pourvu d'un *modem*, d'un périphérique d'entrée ou de sortie d'une mémoire, par téléphone ou par câble, l'utilisateur, avec la télématique, peut entrer en contact avec des centres de documentation éloignés. Avec les mémoires et les disquettes il procède à la conservation de l'information. A partir de celle-ci et à l'aide des logiciels il peut faire faire le travail qu'il devait réaliser. Avec ces éléments il peut réfléchir et rédiger les textes. Grâce aux logiciels typographiques il passe à la mise en page graphique. En faisant intervenir une imprimante il procède à l'impression de son texte. L'utilisateur devient documentaliste, chercheur, rédacteur, typographe, imprimeur, auto-éditeur, voire distributeur.

Cette chaîne de l'écrit informatisé assume les fonctions des systèmes précédents : celle du manuscrit puisque l'écrit écran avec la dactylographie (clavier) permet d'écrire le texte ; celle du livre, imprimé par l'imprimante ; celle du périodique puisque l'écrit informatisé permet de diffuser la nouveauté ; celle de l'écrit documentaire puisqu'il est employé dans l'entreprise ; celle, enfin, de l'écrit lumineux puisqu'on peut l'employer avec l'image et la voix synthétisées.

Cette superposition aux chaînes précédentes fait de l'écrit informatisé une création synthétique qui remplace la division du travail accentuée par les derniers siècles (écrivain, imprimeur, etc.). Avec l'ordinateur l'utilisateur devient polyvalent. Cette situation renforce l'individualisme et l'isolement. Les contraintes de la machine, le raisonnement binaire développent la schématisation mentale. L'écrit lui-même est schématisé. L'écrit calligraphique était soumis aux impulsions de la main. L'écrit typographique éliminait ces variations au profit des surfaces normalisées des formes préfabriquées du type. L'écrit digitalisé réduit le trait à des points. Par ailleurs la configuration de l'écran aboutit à une schématisation des textes.

L'ordinateur transporte l'écrit du champ de la communication dans celui de l'action. Jusque-là l'écrit périodique visait l'information du lecteur considéré comme une fin. L'écrit documentaire tendait à fournir des informations utiles à l'activité de l'entreprise. L'ordinateur va plus loin. Il offre des solutions, presque en temps réel. Il permet la décision rapide. Il répond ainsi aux besoins de l'action. Il intègre la communication dans l'action et l'information dans la cybernétique. Dans le cas où la décision peut elle-même être intégrée il débouche sur la robotique et l'homme artificiel.

Ce déplacement de la fonction de l'écrit s'explique, au plan sociologique, par l'évolution du néo-capitalisme. L'essor scientifique et industriel contemporain oblige à prendre des décisions rapides : l'écrit informatisé fournit les informations et les solutions nécessaires. Il en exploite ensuite les retombées.

3. **Le sens de l'évolution de l'écrit.** — A travers plusieurs millénaires la spécificité de l'écrit n'est pas remise en cause. Le système d'écriture et le système graphique poursuivent, avec des variations, leur existence.

Par contre les catégories d'écrits successives paraissent avoir un sens. On assiste à une intégration progressive de l'écrit dans l'action. Cela se produit par un déplacement plusieurs fois cyclique de l'écrit dans le schéma de la communication. Le manuscrit part de l'émetteur et s'adresse au récepteur par la fixation de la pensée. L'augmentation du nombre des lecteurs conduit à l'imprimerie et au système de reproduction. L'écrit périodique ramène à l'émetteur, à son message, à la nouveauté. A l'autre extrémité, l'écrit documentaire pose le problème de l'utilité de l'information pour le récepteur et introduit l'écrit dans l'action. Nouveauté et documentation ont donc partie liée. La rapidité nécessaire à l'action reconduit l'écrit à l'émetteur avec l'écrit cathodique et informatisé.

Cette évolution cyclique trouve son explication dans l'évolution sociale. L'écrit manuscrit et imprimé répondent à un besoin de transfert de connaissance et correspondent aux sociétés féodales et au libéralisme commercial. L'écrit de la nouveauté, l'écrit de l'utilité, l'écrit lié à la restitution de l'émetteur puis à celui de son élimination partielle au profit de l'ordinateur accompagnent la croissance de la société industrialisée moderne.

Chacun de ces écrits fait appel à des systèmes de production et de distribution comportant des données financières, technologiques, organisationnelles, politiques. A l'édition du livre s'ajoutent l'entreprise de presse, le service de documentation, les chaînes audiovisuelles, les systèmes informatisés. L'apparition d'une nouvelle structure n'élimine pas les précédentes : elle les spécialise et s'intègre à elles en fonction de leur spécificité.

Ces conclusions mettent en valeur la nécessité pour la bibliologie de ne plus s'en tenir au seul livre imprimé. Elles justifient aussi la perspective sociologique de l'historiographie bibliologique. Elles conduisent à créer ou à développer des disciplines fragmentaires de la bibliologie.

II. — La typologie structurale des écrits : bibliographie, documentographie et médiagraphie

La typologie structurale des écrits a pour but de faire l'inventaire et la classification systématique des diverses catégories d'écrits. Elle repose donc, d'une part sur la bibliologie historique pour l'inventaire et, d'autre part, sur une grille de critères simples intervenant dans la composition des écrits. On est donc conduit à s'adresser à la bibliographie. Celle-ci complétée par la documentographie permet la création d'une bibliographie médiagraphique.

1. La bibliographie.

A) *La sociologie de la bibliographie*. — Les travaux réalisés sur la bibliographie peuvent être classés en quatre catégories, comme l'a justement remarqué L.-N. Malclès : les histoires de la bibliographie ; les ouvrages de technique bibliographique ; les bibliographies de bibliographies ; la philosophie de la bibliographie.

B) *La définition de la bibliographie.* — Une histoire de la définition de ce terme est à faire. On a beaucoup hésité, jusqu'à la fin du XIXe siècle sur le mot qu'il fallait utiliser. On a confondu la bibliologie et la bibliographie. La création d'une science du livre a réduit la bibliographie à ne constituer qu'une partie de la bibliologie (v. chap. 1).

La nature de l'opération effectuée sur les documents a été précisée par L.-N. Malclès : « On peut dire de la bibliographie qu'elle recherche, transcrit, décrit et classe les documents imprimés. » Ces actions successives sont effectuées dans le but de « constituer des instruments de travail intellectuel, appelés répertoires bibliographiques ou bibliographies »... (6).

C) *Le circuit bibliographique : la fonction distributive de la bibliographie.* — La bibliographie se situe au carrefour de la production et de la consommation intellectuelles. Elle apparaît comme une réponse à cette situation et comme un trait d'union entre les deux éléments de la psychologie bibliologique : la pensée de l'auteur et la pensée du lecteur.

Pour réussir, il lui faut une méthode. La masse des documents rend difficile l'acquisition d'un ouvrage recherché. Il faut alors diviser pour communiquer. Une grille devient nécessaire. La bibliographie reposera sur une schématisation du savoir. Elle fera intervenir la théorie de la connaissance.

L'évolution des classifications est l'une des manifestations de l'évolution de l'idéologie. Les classifications bibliographiques constituent un phénomène de superstructure intellectuelle. Elles devront être étudiées en rapport avec l'évolution économique et sociale. Une sociologie politique de la bibliographie doit être approfondie.

(6) L.-N. Malclès, *La bibliographie*, *op. cit.*, p. 13.

Il reste à savoir où se situe la bibliographie dans le circuit bibliologique. Elle préoccupe peu l'auteur et elle préexiste à l'intervention du lecteur. C'est donc au plan de la distribution et de la diffusion qu'elle intervient.

Elle intéresse l'éditeur soucieux de classer sa production ; le libraire désireux de vendre les ouvrages ; le bibliothécaire, chargé d'en effectuer la conservation et le prêt. La bibliographie se présente comme un système d'information, fruit de l'action des milieux professionnels chargés de la distribution. Elle constitue alors l'un des éléments de la chaîne secondaire de documentation.

Son étude relève de la systémique bibliologique. Elle comprend plusieurs éléments. A la limite de la production et de la distribution se situent les livres ; à la limite de la distribution intervient le lecteur ; dans la distribution se trouvent les professionnels de la production, de la vente, du prêt, qui composent le corps des bibliographes ; enfin, une interrogation part du lecteur, s'oriente vers les livres et est satisfaite grâce à l'action classificatrice, créatrice de la bibliographie.

D) *La bibliographie synchronique : le système bibliographique*. — Le mécanisme qui conduit à la création de la bibliographie part donc de la source, le lecteur, et de son besoin d'information. Il remonte ensuite à la production et aux bibliographes. De la demande, on passe à l'offre.

a) La demande d'information. — La psychologie bibliologique et la psychosociologie de la lecture se sont peu occupées de la bibliographie. Elles ont ignoré l'étude de la procédure de satisfaction des besoins d'information. L'analyse de la démarche du lecteur permet de dégager plusieurs éléments essentiels : son but, la nature de son besoin, le livre et le moyen de distribution.

Le but. — Les travaux de psychosociologie de la

lecture ont classé les intentions du lecteur en deux grandes catégories : le loisir, le travail. La lecture-loisir est une fin en soi. La lecture utile vise à un réemploi de la connaissance acquise. La lecture-loisir n'aura pas souvent les mêmes exigences de précision que la lecture-travail. Celle-ci débouche sur la documentation. Une typologie générale des besoins reste à faire.

La nature du besoin d'information. — Deux cas peuvent se présenter : les besoins potentiels et précis. Dans le premier cas le lecteur souhaite connaître sur un sujet donné les ouvrages qui ont été publiés. Il pourra faire un choix. Dans le second, il sait précisément ce qu'il cherche.

Sous l'influence du distributeur, le besoin potentiel deviendra précis. Le lecteur cherche un livre écrit par un auteur donné, ayant un titre donné, composé en telle langue, publié à tel endroit, en telle année, par tel éditeur, en première édition, en réimpression, en réédition. Cet ouvrage comprend un certain nombre de chapitres, d'illustrations, etc. Avant de l'acheter ou de l'emprunter le lecteur souhaite ou non savoir quelle est sa composition, ce qu'on en pense, etc. C'est l'ensemble de ces questions qui est posé au bibliographe.

Le lieu et le moyen de la distribution. — Le lecteur veut se procurer tel livre. Toute question posée formule un besoin : où trouver le livre recherché, et comment se le procurer : par achat ou par prêt ? De là provient l'orientation vers la librairie, la bibliothèque ou le centre de documentation.

b) La réponse : l'offre d'information. — L'analyse du besoin du lecteur renvoie à la réponse qui lui sera faite par le milieu de la distribution. Les distributeurs sont placés au carrefour de la production et de la consommation. L'élaboration des catalogues et des bibliographies à laquelle ils sont amenés n'est pas seulement une exigence de la consommation.

C'est tout autant un impératif de la production. En présence de la masse des livres, les distributeurs sont conduits à les classer pour les distribuer.

L'évolution de la bibliographie dépendra de celle de la production et de l'importance des entreprises. Plus celles-ci sont réduites et plus les distributeurs seront obligés d'accomplir toutes les tâches (acquisition, inventaire, classification, etc.). Plus les entreprises croissent et plus la division du travail s'impose. Du bibliographe amateur à temps partiel, on passe ainsi au bibliographe professionnel à temps complet.

c) Le moyen : catalogue et bibliographie. — Opération intéressée, la classification s'effectue sur les deux plans du catalogue et de la bibliographie, selon que l'on examine l'entreprise particulière d'édition et de distribution productrice ou conservatrice ou la totalité de la production indépendamment de son lieu de conservation.

Les classifications. — Sur quels critères seront donc établies les grilles nécessaires ? La réponse vient à la fois de la demande du lecteur et des informations de la production.

Les catégories de bibliographies font l'objet d'énumérations diverses dans les bibliographies de bibliographies ou dans les manuels de bibliographie. Il était donc indispensable de dégager les critères qui sont utilisés et de les classer systématiquement.

Le sujet. Bibliographie générale et bibliographie spécialisée. — Toute information concerne d'abord un sujet. Selon que la question reste vague ou précise, la bibliographie doit se faire générale, visant à relever tous les ouvrages sans distinction de matières, ou bien doit s'orienter, au contraire, vers la spécialisation. Le savoir doit être décomposé. Il faut avoir recours à la théorie de la connaissance élaborée par les philosophes et les sociologues. L'ouvrage déjà ancien de Eric de Grolier est utile à consulter (7).

(7) Eric de Grolier, *Théorie et pratique des classifications documentaires*, Paris, Thémis, 1958.

La grille élaborée peut intervenir d'une manière générale ou particulière.

Le nombre. Bibliographie exhaustive et bibliographie sélective. — Le besoin d'information peut aussi concerner la masse de la documentation. Le lecteur peut vouloir connaître tout ce qui a été produit. La bibliographie dans ce cas devra être exhaustive. Mais il peut aussi s'occuper d'une seule catégorie de documents choisis. La bibliographie devient alors sélective.

Le lieu. — Le critère de lieu intervient ensuite et propose une division géographique. La bibliographie sera locale, régionale, nationale, internationale ou universelle.

La langue. — Le livre concernant un sujet donné est publié dans un pays, mais l'est aussi dans une langue ; des divisions linguistiques vont s'imposer. La bibliographie sera donc nationale, de langue régionale, dialectale, de patois. Nous trouvons donc réemployés les mêmes termes de national et de régional.

La nation. — On s'est contenté jusqu'ici de signaler qu'une bibliographie peut être nationale en se fondant sur le principe géopolitique. Elle relève alors tous les ouvrages publiés dans les limites territoriales d'un Etat. Mais elle peut être également considérée comme nationale, quand, sans se soucier du lieu de publication elle relève des ouvrages publiés dans une langue.

Le temps. — Le besoin d'information du lecteur comprend aussi la notion de temps. Le livre recherché a été publié à une certaine date. Le temps impliqué ne saurait être que le passé ou le présent (8). Deux catégories répondront à ce besoin.

— la bibliographie rétrospective cherche à regrouper les ouvrages publiés avant une date donnée ;

(8) Les plans thématiques soviétiques constituent des catalogues prévisionnels.

— la bibliographie courante tente de regrouper les ouvrages au fur et à mesure de leur production selon une périodicité précise : quotidienne, hebdomadaire, etc.

Le contenu. — Le lecteur peut souhaiter connaître les matières abordées, les points de vue formulés. De là provient un autre critère qui regroupe deux catégories de bibliographies : la bibliographie analytique ou annotée, renseignant sur le contenu des ouvrages et la bibliographie critique.

L'aspect. — L'information peut aussi concerner non plus le contenu mais l'aspect signifiant et matériel du livre. La bibliographie signalétique fera la description matérielle du document. La bibliographie descriptive de ses formes signifiantes : typographie, illustrations, etc.

Les producteurs. — Le lecteur peut également avoir besoin de s'informer sur l'écrivain pour le texte, les artistes pour les illustrations, les dessinateurs pour les schémas, l'imprimeur, l'éditeur, etc.

On peut discerner ici deux tendances :

— l'attitude sélective consiste à différencier qualitativement entre les producteurs du livre. D'un côté on donne des renseignements sur des fonctions appréciées (auteurs, éditeurs). De l'autre, on laisse dans l'anonymat des activités jugées plus modestes (imprimeurs parfois, brocheurs, graphistes, etc.). Une histoire de cette ségrégation culturelle est à faire. Cette attitude est spécifiquement celle de l'Occident capitaliste ;
— l'attitude inverse, exhaustive, vise à énumérer, souvent dans l'ordre chronologique de leur intervention, tous les producteurs du livre. C'est ce qui se passe en URSS et dans les pays socialistes. Les informations concernant les producteurs sont accessibles dans les tables des bibliographies. Elles peuvent aussi faire l'objet de bibliographies spécialisées (auteur, éditeur, illustrateur, etc.).

La méthode d'élaboration de la bibliographie. — Une série d'opérations est nécessaire. Il faut en premier lieu acquérir les documents par les procédés les plus divers : obligation de fournir des exemplaires avec le Dépôt légal (9) ; obtention des ouvrages par l'achat, par dons ou par échanges. La seconde opération, c'est l'enregistrement sur les registres d'entrées dans l'ordre courant. On atteint alors les premiers documents bibliographiques.

L'enregistrement renvoie à la constitution de la fiche qui, selon les cas, sera signalétique, analytique, critique, en fonction des buts recherchés. Ainsi se constitue un répertoire de fiches auquel on appliquera les classifications choisies à propos desquelles il faut insister sur le fait qu'elles deviennent de véritables codes, pouvant être utilisés par les ordinateurs. Avec la classification des fiches s'achèvent, selon les cas, le catalogue et la bibliographie. Cependant, pour satisfaire le besoin d'information du lecteur, leur impression est nécessaire. Il faut créer un service bibliographique. Celui-ci s'est constitué très tôt dans les grandes bibliothèques. Avec l'informatique on crée des bases ou des banques de données.

2. **Bibliographie, documentographie et médiagraphie.** — Le système de la bibliographie montre ses limites. Elles portent sur la relation entre l'écrit et les autres catégories de médias, d'une part ; sur l'inventaire des catégories d'écrits d'autre part.

L'inventaire de nouveaux médias fixés comme le disque, le film, etc., a limité le rôle du livre et, par suite celui de la bibliographie comme instrument de classification. Dorénavant celle-ci concerne essentiellement l'imprimé. D'autres disciplines sont apparues : la discographie, la filmographie, etc. Cette extension progressive introduisait le besoin d'un

(9) R. Estivals, *Le Dépôt légal sous l'Ancien Régime de 1537 à 1791*, Paris, Rivière, 1961.

concept plus général qui regroupe les classifications particulières. Comme il s'agit d'informations fixées sur un support et donc de documents on a créé la documentographie à la fois science descriptive et technique de classification des documents. A son tour la documentographie constitue l'une des deux parties essentielles d'une médiagraphie, science descriptive et technique de classification des médias. La bibliographie en s'occupant de l'écrit imprimé n'est donc qu'une partie de la documentographie et de la médiagraphie.

En se limitant à l'écrit imprimé la bibliographie s'est condamnée à ne pas rendre compte de la totalité des écrits. Dans chacune des catégories de documents nouveaux (disque, film, etc.), il existe des textes plus ou moins nombreux. Une typologie des écrits doit avoir pour objectif d'inventorier tous les textes figurant dans tous les médias, qu'ils soient fixés ou fugitifs.

L'insuffisance actuelle de la bibliographie tient aussi à sa conception interne. Elle s'est peu préoccupée des documents porteurs de texte autrement que d'une manière empirique et évolutive. En effet, le système d'information sur lequel elle repose privilégie le contenu : Quel sujet ? Quel genre littéraire ? La forme du document apparaissait comme secondaire. Il suffisait d'établir une catégorie nouvelle dès que des documents écrits nouveaux faisaient leur apparition. La discussion devait principalement porter sur la nature du processus d'inscription et de reproduction. La bibliographie devait-elle concerner le manuscrit et/ou l'imprimé ? On sait qu'à la fin du XIXe siècle et dans la première moitié du XXe siècle on a eu tendance à rejeter le manuscrit et à ne conserver que l'imprimé. Dès le XVIe siècle les obligations du Dépôt légal ont fait intervenir le critère de volume de la publication. On sépara les ouvrages de ville ou bilboquets (moins de 5 pages) des brochures et des livres. Pour les mêmes raisons les critères croisés de temps, de reproduction et de contenu permirent de distinguer les premières éditions *(princeps)* des réimpressions et des rééditions. Assez tôt également le critère de langage permit de séparer les documents textuels des ouvrages de musique, des estampes, des cartes et plans.

Au XIXe siècle, l'essor de la presse fait apparaître la rubrique publications périodiques et leurs sous-catégories (journaux, revues, etc.). Le critère de l'émetteur conduisit à séparer les thèses, les publications officielles, etc. La multiplication des petits documents (critère de volume) et d'ouvrages de séries (critère de temps), fit apparaître les catégories de recueils, mélanges, séries, etc.

Le développement de la documentation à partir de la fin du XIXe siècle oblige à d'autres catégorisations. On introduisit la distinction entre les écrits primaires et les écrits secondaires produits par la chaîne de documentation.

A l'intérieur de la catégorisation des ouvrages documentaires on fit intervenir le critère de fonction. On a pu parler ainsi des documents secondaires (inventaires, bibliographies, index, ouvrages de référence, cartes perforées, etc.), et des documents tertiaires qui sont le résultat de l'utilisation des précédents (résumés, notes, etc.). Le critère de technique de production et de support introduisit les catégories des microfiches, microfilms, cassettes, disquettes, etc.

Cette accumulation interséculaire de catégories de documents écrits ne fut pas prise en compte en totalité par la bibliographie seule mais par la documentographie dont l'objectif ne peut se contenter de classer les documents selon leur contenu mais, impérativement selon leur forme.

Les premières classifications ont fait intervenir plusieurs sortes de critères : classement alphabétique (abrégé, actes, annales, etc.), ou systématique (caractéristiques, modes de production, modalités d'utilisation, structure des documents, etc.).

On peut donc considérer que la bibliographie est

aujourd'hui en crise. Elle est indirectement mise en question par la documentographie. Cette situation correspond à la crise de la bibliologie qui de science du livre devient science de l'écrit. Or cet état de la bibliographie ne peut durer sans gêner le développement de la bibliologie elle-même. Il convient donc de renouveler la bibliographie en constituant une bibliographie médiagraphique. Elle seule permettra d'élaborer une typologie structurale des écrits.

3. **La bibliographie médiagraphique.** — Elle a pour objet l'inventaire, la description et la classification des écrits. Elle constitue l'une des divisions de la bibliographie générale. Elle s'ajoute à la bibliographie informationnelle antérieure qui classe les écrits en fonction, principalement, de leur contenu.

La bibliographie médiagraphique forme une partie de la médiagraphie, science descriptive et technique de classement des médias. Elle ne peut s'identifier à l'une des parties de la documentographie puisqu'elle doit rendre compte aussi des écrits lumineux qui sont fugitifs (écrits projetés sur écran).

Comment élaborer une classification des écrits considérés comme médias ? Sinon en utilisant la méthodologie de la bibliographie informationnelle qui consiste à considérer que toute bibliographie, et tout écrit, est un objet faisant intervenir simultanément plusieurs critères simples. Il convient donc de procéder à un inventaire des principes fondamentaux intervenant dans la constitution des écrits.

A) *Les critères de réel et de virtuel, de fixé et de fugitif.* — Un écrit, manuscrit ou imprimé est fixé et réel, c'est-à-dire directement lisible. Une microfiche est un écrit fixé virtuel, en ce sens que l'écrit bien qu'inscrit sur le film n'est pas directement lisible sans intervention d'un appareil de lecture. L'écrit sur écran, dans une salle de spectacle, sur écran télévisé, etc., est un écrit réel puisque directement lisible mais il est fugitif. La catégorie des écrits fixés réels regroupe les documents, depuis les traces géométriques des primitifs jusqu'aux ouvrages périodiques, non périodiques et documentaires qui font traditionnellement l'objet de l'étude bibliologique.

La catégorie des écrits fixés virtuels regroupe les films, les disquettes, les cassettes, les mémoires d'ordinateurs, etc., sous condition que ces documents soient porteurs de signes ou de signaux relevant de l'écrit.

Les écrits fugitifs réels regroupent les écrits lumineux : écrits filmiques projetés sur écran opaque ; écrits sur écran transparent comme l'écrit télévisé, le vidéotex, l'écrit informatisé, etc. Cette classification est essentielle à la bibliologie contemporaine.

B) *Les critères du langage*. — Le premier des critères d'un écrit est l'existence du signe d'écriture. Celui-ci est une synthèse de trois critères simples : la technique d'écriture ; le système graphique ; la relation de l'écrit aux autres langages.

a) La technique d'écriture. — Ce critère vise à classer les écrits en fonction de leur système d'écriture. Il fait intervenir les classifications analysées dans le chapitre concernant l'histoire de l'écriture, la paléographie et la grammatologie. La classification synthétique proposée peut être employée.

b) Le système graphique. — Les mêmes signes d'écriture peuvent avoir des formes différentes. Elles constituent un métalangage idéographique. Une harmonisation des classifications des formes manuscrites (onciale, caroline, etc.), et imprimées (classification Thibaudeau, Vox) est devenue nécessaire. Elle doit aboutir à une catégorisation des formes d'écriture indépendamment de leur origine historique mais s'y référant. Elle permettra l'étude du métalangage idéographique de l'écriture, en soi, et en rapport avec les contenus des textes.

c) La relation de l'écrit aux autres langages. — L'écrit est en relation avec d'autres systèmes de signes :

les écritures spécialisées (écriture musicale, mathématiques, etc.) ; l'image et, aujourd'hui, dans certains documents avec l'audio-visuel (cassettes intégrées, etc.).

L'échelle d'iconicité d'A. Moles et les échelles de schématisation élaborées depuis ne traitent pas de la relation de l'écrit avec d'autres langages dans le même document. Il convient de procéder à la création d'une échelle scripto-iconique d'abord ; scripto-icono-audio-visuelle ensuite. Ces échelles doivent avoir pour but de classer les écrits en fonction de leur importance (nombre de signes, nombre de mots, corps, forme, surface occupée, position, couleur), et de leur fonction par rapport aux autres langages. Les deux pôles de l'échelle scripto-iconique sont évidemment le texte sans image et l'image sans texte. On peut déterminer plusieurs degrés intermédiaires : texte et image distincts ; textes explicatifs de l'image (légendes, titres, etc.) ; textes dans l'image (BD). Cette classification permet de regrouper les écritures spécialisées ; les écrits des schémas (cartes, plans, graphiques, maquettes, etc.) ; les écrits de l'image (gravures, estampes, photos, films, etc.), bien que d'autres critères soient nécessaires (procédé d'inscription). Cette échelle permet l'étude comparée du rôle de l'écrit et des autres langages.

C) *Le critère de support.* — L'écriture est positionnée sur un support. On a pu dégager trois catégories de support : celui de l'écrit fixé réel ; celui de l'écrit virtuel ; les supports de l'écrit fugitif.

Le premier concerne l'écrit manuscrit et imprimé. On peut le subdiviser en fonction de la nature du document : objets naturels et objets fabriqués. Les premiers regrouperont les écrits relevant de supports animaux (peau, os) ; végétaux (feuille, écorce, bois) ; minéraux (argile, pierre). Les seconds regrouperont les écrits sur tissus, sur papyrus, parchemin, papier, plastique, etc.

L'étude des supports de l'écrit fixé virtuel relève

des sciences exactes : supports physico-chimiques (film, etc.), électromagnétiques (cassettes, bandes magnétiques), électroniques (mémoires d'ordinateur).

Les supports de l'écrit fugitif réel sont les écrans, opaques ou non.

On a observé que la première série de supports faisait depuis longtemps l'objet de sciences spécifiques : papyrologie, codicologie, etc. Les supports modernes sont aujourd'hui l'objet de nombreux travaux. Cette classification doit permettre une étude systématique des supports sous les angles de leur composition physicochimique, de leur technologie de production, de leur fonction scripturale et de leur rôle dans les systèmes de communication écrite.

D) *Le critère du système d'inscription.* — Si tout écrit suppose une écriture et un support, encore faut-il qu'une action permette de positionner l'une sur l'autre. Plusieurs sous-critères techniques peuvent être employés : la technique physicomusculaire qui rend compte des écrits manuscrits ; la technique physicomécanique qui est à l'origine des sceaux, des cylindres, de l'estampage, de la xylographie, des ouvrages imprimés avec les subdivisions de la typographie, de l'offset, etc. ; la technique physicochimique qui regroupe les films muets ou parlants, les microfiches, microfilms, etc. ; la technique électromagnétique (cassettes, bandes magnétiques, etc.) ; la technique électronique (disquettes, mémoires d'ordinateur, etc.) (R. Ponot, *Les techniques graphiques*, Paris, ministère du Commerce et de l'Artisanat, 1975).

L'étude de ces techniques doit permettre de mieux comprendre l'évolution des écrits et de leur nature propre. Elle est à lier directement à l'évolution scientifique, technique et industrielle.

E) *Le critère de durée de l'écrit.* — L'écriture positionnée sur un support dure plus ou moins longtemps. Il existe des écrits qui traversent les millénaires ;

d'autres qui ne durent que quelques secondes. La durée dépend de plusieurs éléments : le support, le procédé d'inscription, la fonction, etc. Une échelle de classification des écrits en fonction de leur durée comporte, à ses deux pôles, d'une part la tendance à l'éternité (écrits sur métal) et de l'autre à l'instantanéité (enseigne lumineuse par exemple). La périodicité historique est la base de cette catégorisation.

F) *Les critères de surface et de volume*. — L'écriture positionnée sur un support par le système d'inscription, durable ou non, possède une étendue. On peut regrouper les écrits en fonction de ces critères. Ceux-ci sont déjà utilisés par la bibliographie informationnelle. Mais il est utile de généraliser leur usage.

G) *Le critère de reproduction*. — Comme les précédents ce critère est déjà utilisé par la bibliographie actuelle. Elle permet d'élaborer les catégories suivantes : première impression (édition princeps), facsimilé (reprint), réimpression, réédition.

H) *Le critère du procédé de lecture*. — La lecture des documents écrits peut se faire directement ou nécessiter des appareils permettant leur production lumineuse. Les appareils sont donc à catégoriser : visionneuse de microfiche ; projecteur et écran pour les écrits filmiques ; écrans et appareils électromagnétiques électroniques, etc. (télévision, vidéotex, ordinateurs, etc.). Leur étude comparée est devenue indispensable.

I) *Le critère d'émetteur*. — Il vise à classer les écrits en fonction de leur origine. Des catégories empiriquement dégagées ont été inventoriées. Une classification systématique est nécessaire. Elle repose sur plusieurs critères élémentaires qui se croisent le plus souvent. Il faut d'abord discerner l'émetteur, personne physique (écrivant, rédacteur, auteur) des personnes morales (organisations ayant une fonction plus ou moins importante d'éditeur, visant la production ou la reproduction en un certain nombre d'exemplaires). Le sous-critère d'interne et de privé ou d'externe et de public intervient ensuite. Une personne physique ou morale peut produire des écrits pour l'usage interne de la société (notes personnelles, etc.), ou visant un public donné (livres, journaux, etc.). La typologie des activités sociales des personnes morales permet de faire les catégories suivantes : émetteurs politiques (publications officielles), économiques et commerciaux (lettres commerciales, affiches, etc.), universitaires et scientifiques (monographies, mémoires, thèses, actes, brevets, annales, bulletins), littéraires et artistiques (romans, etc.), informationnels (périodiques), etc.

J) *Le critère de périodicité.* — Il dépend du contenu. Il a fallu faire la distinction entre les ouvrages dont le contenu est général et ceux qui présentaient l'actualité. Ceci permet de regrouper les ouvrages produits par l'édition (livres, brochures, albums, etc.), et ceux qui relèvent de la presse écrite. Dans ce dernier cas plusieurs sous-critères déjà évoqués permettent de catégoriser les écrits périodiques. Cette division en deux groupes distincts s'est assouplie avec le temps. Certains émetteurs produisent à la fois des livres et des périodiques. Par ailleurs, entre les livres et les périodiques, se situent des catégories intermédiaires (les suites, etc.).

K) *Les critères de but et d'utilité.* — Ils ont trait à la lecture et font la distinction entre les écrits pour lesquels la lecture est un but en soi et celle qui s'inscrit dans la procédure d'activité.

L) *Les écrits et la combinatoire des critères.* — On remarquera, en conclusion, que tout écrit et toute catégorie d'écrits font intervenir simultanément les divers critères simples.

III. — La bibliologie théorique : la systémique bibliologique

Quand les écrits sont inventoriés, décrits et classés il faut expliquer leur création et leur utilisation. Comment ? C'est la fonction de la systémique bibliologique de répondre à cette question. Celle-ci n'est qu'une application de la systémique générale. La théorie des systèmes a pour but de rendre compte de l'existence et de la nature des phénomènes. Elle remonte à Leibniz. Son développement s'est principalement effectué grâce à Ludwig von Bertalanffy (*Théorie générale des systèmes*, Paris, Dunod, 1973). Elle s'est élargie depuis (G. Klir, Robert Rosen, etc.). Elle est exploitée dans de nombreux domaines (théorie des ensembles, des compartiments, des files d'attente, etc.). L'une de ses applications porte sur la théorie de l'information et de la communication. C'est à ce titre qu'elle intervient en bibliologie où elle relève de l'observation historique qui a permis de dégager deux niveaux complémentaires et donc deux parties : la systémique bibliologique communicationnelle dont le but est d'étudier un écrit ou une catégorie d'écrits dans le cadre du système de communication ; la systémique bibliologique sociologique qui vise à positionner la précédente dans le cadre du système social considéré dans sa totalité.

1. **La systémique bibliologique communicationnelle.** — La systémique repose sur le concept de fonction. Celle-ci est considérée comme créatrice d'une demande. La réponse est fournie par la production d'un ensemble médiatique visant à créer un objet écrit dont les caractéristiques seront considérées comme adéquates à la demande. Dans cette perspective, la systémique bibliologique cherche à expliquer les écrits par le besoin de communication scripturale. Les caractéristiques du document considéré relèvent des critères simples inventoriés précédemment. La biblio-

graphie médiagraphique permet donc de situer l'objet écrit. Celui-ci est le produit, à l'intérieur d'un ensemble, d'un certain nombre d'agents producteurs et distributeurs en interrelation. La systémique bibliologique doit donc s'interroger sur le besoin, sur l'écrit produit, sur l'organisation qui préside à sa production et à sa répartition.

A) *Théorie de la schématisation des concepts systémiques.* — La lecture des ouvrages portant sur le livre et l'écrit permet de dégager plusieurs termes dont le sens général est voisin. Tous ont en commun la conception générale du système. Ainsi, traitant de l'édition, R. Escarpit parle d'appareil. Considérant les organismes de communication principalement documentaires, J. Meyriat utilise les termes de structure et de techno-structure. Les documentalistes se servent constamment du mot chaîne. Nous avons nous-même employé les concepts de schéma et de modèle. Une classification du vocabulaire théorique employé en bibliologie est donc nécessaire. Une réponse peut être donnée par l'élaboration d'une échelle de schématisation des termes et des concepts. Les deux pôles en sont le réel et l'abstrait. Le mouvement inductif de la réflexion vise à trouver les lois explicatives du réel. Il consiste à passer du premier au second pôle. Le mouvement déductif cherche à créer le réel à partir d'une conception théorique. Il descend cette échelle. Entre ces deux pôles on peut déterminer plusieurs niveaux ou catégories de concepts selon l'importance que joue chacun d'eux. Dans le cadre d'une théorie de la schématisation, il convient de partir du concret. Le point zéro est évidemment le réel lui-même et la phénoménologie bibliologique. A ce point le propos est de décrire ce qu'on observe. Plusieurs niveaux peuvent être logiquement définis. Le degré 1 consiste en une description organique et externe de la réalité. On trouve ici les termes d'appareil, de réseau, de chaîne. Le degré 2 se réfère encore à la réalité mais pour en discerner l'organisation interne ; c'est le concept de structure. Le degré 3 s'affranchit un peu plus du réel en constituant une organisation idéale de la réalité à la fois externe et interne. C'est le but du modèle. Le degré 4 déplace le problème du réel au sujet qui le pense et l'exprime. Le schéma est alors la représentation mentale et l'expression langagière de la compréhension du réel. Enfin, le système constitue le degré 5 dans la mesure où il théorise sans référence nécessaire à la réalité ou au sujet pensant.

a) L'appareil. — C'est au sens propre un synonyme de machine. Au sens figuré le terme d'appareil est employé pour les organisations politiques, économiques et techniques de la reproduction des écrits. Il vise alors l'édition, les entreprises de presse, etc.

b) Le réseau. — Ce concept repose sur l'existence de relations multiples entre les éléments constitutifs d'un ensemble. Il substitue à la représentation linéaire continue de la chaîne, une conception croisée. Il insiste plus sur ces relations que sur les éléments eux-mêmes (cf. *Schéma et schématisation*, n° 25, Paris, SBS, 1986).

Il constitue la trame du schéma.

c) La chaîne. — Comme son nom l'indique la chaîne correspond à une organisation où les pièces sont assemblées les unes au bout des autres. La chaîne constitue donc une organisation linéaire. Elle a été appliquée dès le début de l'étude de la production et de la distribution des livres. Elle est encore employée pour parler de la chaîne de documentation. Ce concept linéaire est aujourd'hui insuffisant pour rendre compte des systèmes bibliologiques.

d) La structure et la dialectique. — La structure est considérée comme l'organisation interne des phénomènes étudiés dans une perspective statique ; le cycle correspond à une approche de même nature mais pour l'étude dynamique des phénomènes ; il fait intervenir la dialectique.

e) Le modèle. — Dégagé du réel ou construit avant

son implantation dans la réalité, le modèle est une conception idéale et possible des faits. Il est donc moins impliqué avec le concret que les termes précédents. Mais il est déjà nettement distinct d'une représentation exclusivement mentale. Le terme a été utilisé en bibliologie pour décrire les organisations théoriques sous-jacentes à la sociologie politique du livre dans le monde (modèles bibliologiques libéraux, socialistes et de la décolonisation. R. Estivals, *Le livre dans le monde*, Paris, Retz, 1984).

f) Le schéma. — Celui-ci pose la question du moyen d'accès mental et linguistique de la compréhension du réel (cf. *Schéma et schématisation,* n° 8, 1977). A ce point le lien à la réalité est remplacé par l'analyse psycholinguistique (v. chap. 4).

g) Le système s'établit au niveau purement conceptuel et théorique hors de toute contrainte phénoménale.

Dans ces conditions la systémique bibliologique communicationnelle a pour but de dégager les systèmes de la communication écrite en se fondant sur la description des appareils, des chaînes et des réseaux ; en essayant d'en dégager les structures et les cycles ; en élaborant leur modèle et en se servant pour cela des schémas comme mode de représentation. Elle peut procéder d'une manière inverse pour construire des systèmes qu'elle cherche ensuite à implanter dans la réalité.

B) *La théorie de la systémique bibliologique communicationnelle.* — L'application de l'analyse systémique en bibliologie consiste à rechercher les besoins de communication écrite qui se font jour dans une société donnée. Ceux-ci constituent une demande d'information qui fait pression pour obtenir une réponse, laquelle doit aboutir à la satisfaction des besoins.

Cette réponse réclame une organisation dont les principes généraux, dès qu'il s'agit de besoins collectifs, sont ceux qui régissent toute entreprise de type économique. Pour satisfaire les besoins de lecture, pour assurer la consommation il faut des structures de production et de distribution. Le système éditorial constitue la réponse générale. Son étude relève de l'éditologie.

A son tour celui-ci ne peut exister et fonctionner que dans la mesure où il fait intervenir des sous-systèmes : un modèle en étoile se constitue donc. On trouvera dès lors un sous-système financier qui doit fournir les moyens matériels ; un sous-système de la création supposant la documentation, la création littéraire et iconique ; les spécialistes du système graphique. Les moyens et la création étant acquis, le manuscrit créé, un troisième sous-système s'impose : celui des techniques de la reproduction (imprimerie, industries graphiques). Les exemplaires tirés sont alors pris en compte par trois sous-systèmes : celui de la diffusion et de la publicité qui informe le public ; celui de la distribution qui permet le déplacement des ouvrages dans l'espace et leur mise à disposition par les librairies, les hypermarchés, etc. ; celui enfin de la conservation, puisque la consommation intellectuelle et culturelle ne détruit pas l'ouvrage lu : c'est l'objet du système des bibliothèques et des centres de documentation, plus largement des médiathèques, des « thèques ».

Dans ces conditions, le système de la communication écrite comprend bien un ensemble, un but, des organes en interrelations, un modèle et un schéma. Il reste à en examiner l'élément essentiel : le document écrit. Celui-ci est le produit du système : le médium, l'intermédiaire qu'il faut créer et faire circuler. Le besoin de communication écrite détermine le type d'information nécessaire (critère de contenu), le rôle des langages à employer (écrit, image, éventuellement la parole avec les cassettes intégrées), la nature de leurs relations formelles (système graphique), la nature du support (matériau, volume, durabilité, nombre, etc.), l'émetteur (public, privé, politique, universitaire, commercial, etc.), le mode de reproduction, l'organisation nécessaire et la relation aux pouvoirs. Au terme de l'analyse systémique appliquée à la bibliologie on retrouve donc les objets écrits classés par la bibliographie médiagraphique.

2. **La systémique bibliologique sociologique : la bibliologie politique.** — La systémique bibliologique communicationnelle explique les écrits avec leur système de production et de distribution par les besoins de communication sociale et scripturale. Cette recherche de causalité est justifiée mais insuffisante. Elle ne touche en effet que des causes secondes. Elle se réfère aux besoins des collectivités humaines. Elle n'explique pas le mécanisme qui les fait naître. En se situant dans cette perspective, elle s'établit idéologiquement dans une position conformiste : les besoins de la société à un moment donné du temps. Elle correspond, sur un autre plan à la technique commerciale de l'étude de marché et à celle de la commercialisation pour les techniques de vente. Elle considère le système bibliologique comme une fin en soi. Or, comme on l'a montré plus haut, l'historiographie bibliologique en est arrivée à considérer l'écrit comme un produit de la société.

La communication écrite, comme toute communication, dépend de l'organisation sociale et en dernier recours de la vie politique et économique. De la systémique communicationnelle on est ainsi renvoyé à la systémique sociologique. Celle-ci débouche alors sur la bibliologie politique.

Comment expliquer les besoins de communication écrite ? La systémique sociologique de l'écrit repose sur une hypothèse initiale. L'écrit est un moyen de communication. Cela suppose qu'il existe une société composée d'hommes (démographie), vivant dans un espace géographique (géographie), ayant une tradition culturelle (histoire), produisant des biens pour subsister (économie), divisée en classes sociales (sociologie) qui s'affrontent pour la possession du pouvoir (politologie). Les classes dominantes élaborent une conception de la société (idéologie) qu'elles cherchent à imposer (programmes) par la loi (pouvoir législatif et exécutif), et à faire respecter par des sanctions (pouvoir judiciaire). Elles visent à former les esprits (éducation, didactique, pédagogie), à constituer le public. Elles orientent la mentalité collective (psychologie sociale) et créent les besoins de lecture des masses qui sont à l'origine de la systémique communicationnelle, en général, de celle de l'écrit en particulier.

Pour répondre à ces besoins la société dominante organise le système bibliologique. Elle favorise les auteurs par des promotions (académie, prix, bourses, etc.). Elle organise le système de production, de diffusion et de distribution et, en le soumettant à des lois, le système culturel des bibliothèques. Elle impose un circuit conformiste.

Les classes dominées pratiquent de même. Elles inventent un circuit oppositionnel anticonformiste et d'avant-garde. La rencontre des deux systèmes aboutit à l'action de censure du pouvoir dominant. Les conflits sociaux permettent de suivre l'évolution des rapports de force entre les deux systèmes bibliologiques différents. Le renversement des rapports de force par l'action révolutionnaire conduit du même coup à changer l'organisation du système dominant.

Cette hypothèse initiale a été vérifiée par la recherche (R. Estivals, *Le livre dans le monde*, Paris, Retz, 1984). On sait aujourd'hui qu'il existe des modèles bibliologiques politiques différents. Ceux-ci varient en fonction du rôle que joue l'Etat. Ainsi dans la période moderne et contemporaine il existe des modèles libéraux, sociaux démocrates, en Suède et en Finlande, etc. Par ailleurs les modèles socialistes composent des systèmes différents reposant sur la socialisation des entreprises et les plans thématiques ou sur l'autogestion. La vie de l'écrit, dans les pays du Tiers Monde pose le problème de la décolonisation et de l'indépendance culturelle. Trois modèles cohabitent : celui des anciennes métropoles ; celui de l'indépendance et celui propagé par l'Unesco.

Dans ces conditions, la causalité bibliologique, sur le plan structurel, repose sur l'étude préalable des modèles sociologiques et politiques afin de définir les besoins de communication écrite qui, ensuite seulement, feront l'objet de la systémique bibliologique communicationnelle.

CHAPITRE VI

LA POLITIQUE BIBLIOLOGIQUE

Les chapitres précédents ont tenté de répondre à la problématique contemporaine de la bibliologie. Une dernière question doit être abordée : l'activité bibliologique. Celle-ci repose sur un schéma traditionnel qui vaut aussi pour la bibliologie : l'art, les sciences fondamentales, les méthodologies, l'épistémologie ; les sciences appliquées et les relations avec les professions ; l'enseignement bibliologique et des métiers de l'écrit ; la coopération nationale et internationale.

I. — La création artistique : le mouvement du signe

Les années qui ont suivi le second conflit mondial ont été marquées en France et ailleurs par le développement de la recherche sur l'information et la communication.

Dans le domaine de l'écrit on a assisté simultanément au développement de la création artistique et de la recherche bibliologique (L'école bibliologique française, *Schéma et schématisation*, vol. 3, Paris, SBS, 1972).

Dans le domaine de l'art cette période s'est appuyée sur une théorie de l'avant-garde (*Les avant-gardes littéraires au XX*e *siècle*, Budapest, Akademiai Kiado, 1984), et sur la théorie des générations littéraires et artistiques. L'hypothèse des deux demi-générations chère à G. Michaud (R. Estivals, *L'Hypergraphie* *idéographique synthétique*, Paris, Le Prat, 1964), permet de rendre compte du mouvement du signe. La première a vu se développer l'Informel (Wols, Pollock, Mathieu, etc.) et le Lettrisme (Isou). La seconde demi-génération, remettant en cause l'apport précédent, devait déboucher sur l'Internationale situationniste (Debord) et le Schématisme.

Le mouvement du signe s'appuie sur plusieurs théories complémentaires. Les plus importantes portent sur l'évolution des formes artistiques. Celles-ci sont considérées comme soumises à des cycles. Selon la théorie lettriste d'Isou, reprenant et approfondissant les théories romantiques (cf. la préface de *Cromwell* de V. Hugo) le cycle serait composé de deux phases : « l'amplique », créateur des formes ; le « ciselant » qui les détruirait. La méthodologie de la création, la créatique permettrait de faire le point de l'évolution d'un genre artistique donné et, systématiquement de tous les genres. A la suite on pourrait prévoir les autres étapes et épuiser ainsi l'ensemble des créations possibles.

Cette théorie messianique a été revue et transformée à la lumière de la théorie de la schématisation et notamment de l'échelle d'iconicité. Généralisée au domaine artistique et pictural elle interprète l'évolution comme étant orientée, tantôt vers la figuration et l'image et tantôt vers le signe, en traversant, chaque fois, la zone des schémas. Cette évolution interséculaire serait la manifestation au plan psychologique et social, des changements de la sensibilité artistique des générations successives dirigées tantôt vers la réalité et tantôt vers le moi.

Sur le plan sociologique l'évolution des formes et des mentalités créatrices serait la manifestation des idéologies et des luttes sociales : l'art bourgeois serait un art individualiste et l'art marxiste d'essence réaliste.

L'application de ses théories devait permettre à Isou de faire évoluer l'art moderne du Surréalisme au Lettrisme c'est-à-dire au signe conventionnel. Dans le même temps, l'Informel explorait l'intérêt artistique de l'instinct et de ses projections : les signes naturels.

La deuxième demi-génération du Mouvement du signe devait remettre en question les apports précédents. Elle s'est orientée dans deux directions. D'une part vers une analyse et une pratique sociopolitique avec l'Internationale situationniste (*Revue IS. De l'avant-garde esthétique à la Révolution de mai,* Communication, 12, Paris, Le Seuil, 1968). D'autre part vers une réorientation du mouvement créatif, dans le cadre de l'échelle d'iconicité. Il s'agit alors, avec la schématisation, de restructurer les formes (L. Lattanzi, M. Rapin, M. Dors, etc.), et d'élaborer une théorie épistémologique et linguistique du schéma (*Revues Grâmmes*, *Schéma et schématisation. L'avant-garde culturelle parisienne depuis 1945*, Paris, Le Prat, 1962, etc.).

Le mouvement du Signe est important à plusieurs titres : il correspond à un art spécifique de l'écriture. En se situant par rapport à l'image il permet une approche artistique de la relation entre la bibliologie et l'iconologie. Enfin, la phase de restructuration, correspondant au Schématisme a donné à la bibliologie son épistémologie et la possibilité d'une transition entre la création artistique du signe et la science de l'écrit.

II. — **La bibliologie fondamentale : les sciences et les techniques bibliologiques (le schéma bibliologique)**

Toute science a pour but d'expliquer les phénomènes qu'elle étudie. Si la bibliographie analyse et classe les écrits, la bibliologie, elle, cherche à en rendre compte.

Cependant toute science générale se compose de sciences particulières. Il y a, à cela, deux raisons : l'une, qui tient aux phénomènes le plus souvent décomposables au point que chaque élément peut faire l'objet de recherches particulières ; l'autre, qui relève des perspectives scientifiques sous lesquelles une catégorie de phénomènes peut être considérée.

Pour connaître l'état d'avancement des sciences bibliologiques il faut donc suivre une méthodologie précise : inventorier les travaux existants, c'est-à-dire faire l'histoire des sciences bibliologiques ; élaborer une typologie des sciences particulières fondées sur le croisement systématique des champs d'études et des disciplines qui s'en occupent ; intégrer l'histoire dans la typologie pour déterminer les lignes de développement de cette science ; dégager enfin les axes de la recherche à approfondir.

1. **L'histoire des sciences bibliologiques.** — Il semble que l'interrogation sur l'histoire des sciences bibliologiques remonte à l'entre-deux-guerres. Paul Otlet en traite sommairement dans son *Traité de documentation*. L'interrogation systématique se manifeste après guerre dans des publications françaises (*La bibliométrie bibliographique,* Lille, Service de reproduction des thèses de l'Université de Lille III, 1972 ; *Le livre français hier, aujourd'hui, demain,* Paris, Imp. nat., 1972 ; *Schéma et schématisation* ; La recherche sur le livre, *Tendances*, 77, La France en Europe et dans le Monde, Paris, Assoc. pour la Défense de la Pensée française, 1972). Il s'agit alors d'un inventaire systématique des sciences bibliologiques.

A la même époque paraissent deux ouvrages essentiels publiés en Pologne en 1971 et 1972. L'un s'intitule : *Encyclopédia Wiedzi a Ksiazie,* Warszawa, Zadlod Narodony, 1971. C'est une encyclopédie internationale de bibliologie. Le second publié par Slownik a pour titre *Pracownikow Ksiazki*, Warszawa, Pansywowe Wydawnictvo Naukowe, 1972. C'est un répertoire des chercheurs polonais du livre. Dans la même orientation encyclopédique, mais en considérant les matières de l'imprimé fut publié quelques années plus tard en 1978 *La chose imprimée* par John Dreyfuss, François Richaudeau et René Ponot aux Editions Retz.

Un deuxième courant marque plus particulièrement la décennie 80 : l'actualisation de l'histoire contemporaine de la bibliologie, spécialement en France. Celle-ci prend plusieurs directions. C'est d'abord l'inventaire des travaux classés par champ d'études sans distinction de discipline. On en trouve des manifestations chez R. Escarpit et N. Robine dans le numéro de *Tendance* de 1972 déjà cité ci-dessus. C'est aussi le cas de l'étude plus détaillée de J. Breton en 1978 (*La littérature et le reste*, I : *La littérature,* Paris, ENSB, Centre de Paris, 1978). En 1981 J. Breton, R. Escarpit et N. Robine présentent une mise à jour de l'article de *Tendance* de 1972 sous le titre Le livre et la culture écrite dans le monde moderne et contemporain (*La recherche en sciences humaines : humanité 1979-1980,* Paris, CNRS, 1981). C'est encore cette optique qui inspire les textes publiés en 1984 à la suite du Colloque de Beaubourg sur *La recherche et l'enseignement bibliologiques et des métiers du livre,* dans *Le livre en France, la recherche et l'enseignement* (Paris, Retz-SBS, 1984). La même année J. Breton faisait paraître *Le statut de la bibliologie*, Massy, Bibliothèque publique, 1984.

Une autre orientation se fait jour vers les années 1979-1980 qui consiste à faire le point de la situation présente. C'est le cas de l'article publié par Alain Bassy dans *Communication et Langages* (n° 44) intitulé Le livre : on cherche des chercheurs. Ce travail présentait le bilan d'un colloque organisé par son auteur. Il a été approfondi quelques années plus tard dans l'ouvrage déjà cité : *Le livre en France*.

Toujours au niveau de l'actualité on voit apparaître le souci de l'inventaire des hommes et des institutions. En 1980, J.-F. Barbier-Bouvet publiait le *Répertoire des chercheurs et de la recherche sur le livre contemporain et la lecture* dans le cadre de la BPI à Paris.

Cet inventaire est élargi à l'enseignement par le *Répertoire des établissements de recherche et d'enseignement bibliologiques et d'enseignement des métiers du livre* publié par la SBS en 1986. Enfin plusieurs colloques internationaux (Sofia, 1981 ; Tunis, 1985 ; Budapest, 1985) consacrés à la bibliologie ont permis d'aborder l'histoire de la recherche bibliologique dans les pays de l'Est, en Afrique francophone (*Schéma et schématisation*, nos 15, 18, 22, 24, Paris, SBS, 1981, 1983, 1985 et 1986 et *Le livre dans le Monde*, Paris, Retz, 1984). Une première bibliographie de la bibliologie a été présentée par M. Ben Cheikh au Colloque de Tunis.

L'histoire des sciences bibliologiques constitue donc aujourd'hui une discipline nouvelle. Son système est composé de parties complémentaires : histoire générale de la discipline, sociologie historique (chap. 1), histoire contemporaine, histoire internationale, inventaire des chercheurs et des centres de recherche ; inventaire des établissements d'enseignement ; étude des problématiques et des méthodes ; élaboration de la bibliographie. Toutes ces orientations sont nécessaires à la connaissance des diverses disciplines de l'écrit et à l'élaboration d'une typologie des sciences bibliologiques.

2. **La typologie des sciences bibliologiques : le schéma bibliologique.** — Faire l'inventaire des sciences de l'écrit c'est aussi avoir recours à deux perspectives complémentaires : l'une vise à faire l'analyse systématique des champs d'études de l'écrit ; l'autre à énumérer et classer les diverses sciences qui peuvent intéresser ce domaine. S'en tenir aux seuls champs d'études c'est se condamner à la confusion dans la description des travaux. Cette relation entre deux grandes catégories de critères pose le problème de leur croisement et d'une combinatoire. Cette dernière aboutit à la création d'une typologie des sciences de l'écrit qui repose sur un schéma bibliologique grâce

à la méthode graphique du tableau à double entrée. Notons que la méthode du schéma a déjà été utilisée en bibliographie pour élaborer la statistique internationale des imprimés (IICI et Unesco).

Le schéma bibliologique permet de faire l'inventaire systématique des sciences bibliologiques. Il clarifie la position de chaque domaine de recherche. Il offre la possibilité de faire l'inventaire des disciplines non constituées ou peu approfondies et d'établir un plan de développement de la bibliologie. On peut utiliser des classifications alphabétiques et numériques pour coter chaque discipline : classification numérique en abscisse par exemple pour les champs d'études ; classification alphabétique en ordonnée pour les diverses sciences concernées. Chaque discipline bibliologique se situe au croisement d'un champ d'études et d'une discipline. Elle reçoit alors une cote alphanumérique. Le schéma bibliologique peut servir à la recherche ; il peut être employé comme classification bibliographique spécialisée ; il permet la création d'une classification des sciences bibliologiques.

L'idée du schéma bibliologique n'est pas neuve. Un premier essai a été publié en 1976 (*Schémas pour la bibliologie*, Paris, SBS, 1976). Il a été revu depuis. Pierre Lafarge en a proposé un autre (*Schéma et schématisation*, n° 13, 1980). La bibliographie élaborée par M. Ben Cheikh s'organise autour d'un troisième schéma. Son utilisation concrète dans l'étude de l'écrit dans divers pays a permis d'élaborer des modèles bibliologiques.

Entre-temps la bibliologie, de science du livre étant devenue science de l'écrit, le schéma bibliologique qui concernait initialement les sciences du livre imprimé doit être renouvelé à la lumière des progrès récents. Il doit être constamment ouvert pour intégrer l'évolution des travaux.

A) *L'élaboration du schéma bibliologique.*

a) Les champs d'études de la systémique bibliologique. — Il faut abandonner le schéma linéaire du livre imprimé pour lui substituer les composantes de la systémique de l'écrit telles qu'elles ont été analysées au chapitre précédent. On peut alors faire l'inventaire suivant :

1. La systémique bibliologique sociologique : elle concerne les besoins sociaux de communication écrite.
2. La systémique bibliologique communicationnelle : elle regroupe, en réponse aux besoins sociaux, les grandes catégories d'écrits dégagés par la typologie historique :
   21. L'écrit manuscrit ;
   22. L'écrit imprimé non périodique (livre, etc.) ;
   23. L'écrit imprimé périodique (journaux, etc.) ;
   24. L'écrit institutionnel et documentaire (catégories de la chaîne secondaire de documentation et écrits d'entreprise) ;
   25. L'écrit lumineux (film, microfiche, etc.) ;
   26. L'écrit informatisé.
3. La production de l'écrit :
   31. Besoin d'écrire reprenant les besoins collectifs au niveau de la conscience individuelle ;
   32. La pensée ;
   33. La langue ;
   34. La littérature et les auteurs ;
   35. Le système d'écriture ;
   36. L'alphabétisation ;
   37. Le système de fixation ou de positionnement ;
   38. Le système graphique ;
   39. Le document manuscrit.
4. La reproduction des écrits :
   41. L'édition ;
   42. Les techniques et arts graphiques (l'imprimerie), etc. ;
   43. La diffusion et la distribution ;

44. Les bibliothèques, centres de documentation, médiathèques.
5. La lecture et la satisfaction des besoins.

b) Les sciences et les techniques. — L'inventaire et la classification des sciences intervenant dans le processus de recherche sur l'écrit peuvent faire appel aux classifications bibliographiques connues comme la CDU ou la BBK soviétique. On remarquera néanmoins que la systémique bibliologique comporte, dans chacune de ses parties, l'intervention d'un certain nombre de disciplines. Il paraît donc préférable, pour la cohérence du schéma bibliologique, d'en suivre l'énumération. On peut dégager deux grandes catégories de sciences selon qu'elles concernent : A. La systémique sociologique (les sciences humaines) ou B. La systémique communicationnelle : les sciences médiatiques, les sciences exactes et les techniques. On peut alors établir la classification suivante :

A. Les sciences humaines :
- A*a*. La géographie (le cadre spacial) ;
- A*b*. La démographie (le rôle de la population) ;
- A*c*. L'histoire (le passé) ;
- A*d*. L'économie (la production et la distribution des biens et des services) ;
- A*e*. La sociologie (les groupes sociaux notamment) ;
- A*f*. La politologie-droit (le pouvoir) ;
- A*g*. L'enseignement, la propagande et la publicité (la formation de la pensée collective) ;
- A*h*. La psychologie sociale (les mentalités et leur besoin de communication).

B. Les sciences médiatiques et les sciences exactes concernées :
- B*a*. La psychologie (l'étude générale de l'esprit) ;
- B*b*. La physiologie (étude physiologique des langages) ;
- B*c*. La linguistique ;

B*d*. La sémiologie (l'étude du langage et des signes) ;
B*e*. L'iconologie (l'étude de l'image) ;
B*f*. La gestologie (l'étude des gestes) ;
B*g*. L'esthétique et l'art ;
B*h*. La physique (étude des supports, des outils et des appareils) ;
B*i*. La chimie ;
B*j*. L'électronique ;
B*k*. Les techniques.

c) Le schéma bibliologique. — Le schéma bibliologique reproduit, en abscisse, les phases de la systémique bibliologique et, en ordonnée, les sciences concernées avec leur cote numérique et alphabétique. Le croisement de ces deux séries de données permet d'établir le système des sciences bibliologiques. Pour des raisons de place on n'en reproduit pas ici le tableau.

Les textes ci-dessous donnent des exemples de définition des sciences correspondant à certaines de ses cotes. Pour donner un cas d'utilisation si l'on prend la cote A*c* 5 ou 5 A*c* on trouvera l'histoire (A*c*) de la lecture (5).

B) *L'utilisation du schéma bibliologique*. — Comment se servir du schéma bibliologique ? Plusieurs modes d'emploi sont concevables : axial, systématique et rayonnant.

a) La lecture axiale. — Elle peut se fonder sur les abscisses et les champs d'études ou sur les ordonnées et les sciences concernées.

La lecture axiale par champ d'étude : à partir d'une, de plusieurs ou de toutes les divisions du champ on s'interroge sur les diverses perspectives scientifiques sous lesquelles on peut les aborder. La définition des disciplines renvoie à l'examen de leur problématique, à l'inventaire de leurs méthodes, aux résultats acquis, donc à l'histoire de ces sciences, aux grandes lignes de leur recherche. On donnera ci-dessous un exemple d'application pour un seul champ d'études, par exemple le système d'écriture (35). On s'interrogera successivement sur :

35 A*a*. La géographie de l'écriture : la répartition géographique de ces systèmes, etc.
35 A*b*. La démographie de l'écriture : le rapport entre le volume de la population et ses systèmes, etc.
35 A*c*. L'histoire de l'écriture. Celle-ci inclura la paléographie notamment, etc.
35 A*d*. L'économie de l'écriture : le coût de l'élaboration des systèmes d'écriture, etc.
35 A*e*. La sociologie de l'écriture : les classes sociales et les systèmes d'écriture, etc.
35 A*f*. La politologie de l'écriture : les pouvoirs et les systèmes d'écriture, etc.
35 A*g*. L'enseignement et l'écriture : le rôle de l'écriture dans les systèmes éducatifs, etc.
35 A*h*. La psychologie sociale de l'écriture : le comportement des mentalités face aux systèmes d'écriture, etc.
35 B*a*. La psychologie de l'écriture : la relation entre les comportements mentaux et l'acte d'écriture. Elle rencontrera la grammatologie.
35 B*b*. La physiologie de l'écriture retrouvera la biomécanique gestuelle de l'écriture.
35 B*c*. La linguistique et l'écriture : à ce croisement se situera la philologie, etc.
35 B*d*. La sémiologie de l'écriture : l'écriture comme système de signes, etc.
35 B*e*. L'iconologie de l'écriture : les formes écrites comme image, etc.
35 B*f*. La gestologie de l'écriture : la manière d'écrire.
35 B*g*. L'esthétique et l'art de l'écriture : la calligraphie, le mouvement du Signe.
35 B*h*, B*i*, B*j*. La physique, la chimie, l'électronique et l'écriture : le rôle des sciences exactes dans la création de l'écrit.

35 B*k*. La technique de l'écriture : les codes et l'écriture.

La lecture axiale par discipline : elle est l'inverse de la précédente. Elle cherche à connaître tous les champs d'études de l'écrit considérés par une science donnée. On prendra ci-dessous le cas de la psychologie (B*a*). On s'interrogera successivement sur :

B*a* 1. La psychologie des besoins sociaux de communication écrite ;
B*a* 21. La psychologie de l'écrit manuscrit ;
B*a* 22. La psychologie de l'écrit imprimé non périodique ;
B*a* 23. La psychologie de l'écrit imprimé périodique ;
B*a* 24. La psychologie de l'écrit documentaire ;
B*a* 25. La psychologie de l'écrit lumineux ;
B*a* 26. La psychologie de l'écrit informatisé ;
B*a* 31. La psychologie du besoin d'écrire ;
B*a* 32. La psychologie de l'acte d'écrire ;
B*a* 33. La psychologie de la langue écrite ;
B*a* 34. La psychologie de la littérature et des auteurs ;
B*a* 35. La psychologie du ou des systèmes d'écriture ;
B*a* 36. La psychologie de l'alphabétisation ;
B*a* 37. La psychologie de la fixation des signes ;
B*a* 38. La psychologie du système graphique ;
B*a* 39. La psychologie de la création du manuscrit ;
B*a* 41. La psychologie des éditeurs ;
B*a* 42. La psychologie des imprimeurs ;
B*a* 43. La psychologie des diffuseurs ;
B*a* 44. La psychologie des bibliothécaires ;
B*a* 5. La psychologie de la lecture.

b) La lecture systématique. — Elle vise à faire un inventaire systématique de l'ensemble des disciplines fragmentaires de la bibliologie à partir des sciences et en relation avec les champs d'études. Elle aboutit à une classification des sciences bibliologiques mais aussi à une classification bibliographique spécialisée.

c) La lecture ponctuelle et rayonnante. — La lecture du schéma bibliologique peut être aussi effectuée à partir d'une discipline fragmentaire située au croisement des champs d'études et des sciences. Cette procédure est utile pour dégager la dialectique de la recherche. Elle rendra compte de l'état de développement des sciences bibliologiques.

3. **Les sciences bibliologiques.** — Pour connaître l'état d'avancement des sciences bibliologiques il suffit de reporter les travaux réalisés sur la grille générale. Cette procédure présente un autre avantage. Elle permet de dégager la méthode empirique suivie par les sciences bibliologiques dans leur développement et la constitution progressive d'un réseau de recherches concrètes se superposant au schéma théorique.

Cette dialectique d'extension des sciences bibliologiques repose sur plusieurs principes observés. C'est, d'abord, la contradiction initiale entre la science fragmentaire et la bibliologie considérée comme science générale de l'écrit. Tout semble s'être passé comme si un certain nombre de domaines limités s'étaient constitués plus ou moins parallèlement à l'élaboration d'une théorie générale. Cette situation n'est pas sans conséquences. Chaque matière tend, par nature, à rester isolée. Elle privilégie son champ d'études, sa problématique, ses méthodes et son système d'interprétation. Elle ne s'ouvre que lentement aux disciplines voisines. Elle se méfie d'une vision globale. Un exemple précis de cette pratique de l'isolement se trouve dans la conception récente de la grammatologie (J. Derrida), qui récuse à la fois la linguistique et le livre pour se limiter à l'étude de la relation pensée-écriture.

Néanmoins, dans la plupart des cas, cette dialectique de l'enfermement ne résiste pas au développement de relations avec d'autres disciplines voisines. L'extension se produit alors d'une manière progressive sous la forme axiale ou/et rayonnante. Ainsi se sont créés des secteurs de recherche distincts : histoire de l'écriture ; sociologie du livre ; psychologie bibliologique, etc.

Le troisième temps de cette expansion correspond à la rencontre de plusieurs secteurs de recherche : par exemple la relation entre les études littéraires et la sociologie du livre par la textologie ou bien la relation de ces mêmes recherches avec la psychologie de la lecture par la sociocritique (S. Sarkany, *Forme, socialité et processus d'information : l'exemple du récit court à l'aube du XX*e *siècle. Sociopoétique du récit court moderne,* Lille, Service de reproduction des thèses, Université de Lille III, 1985). L'établissement de ces passerelles aboutit à la constitution d'un réseau empirique où les relations interdisciplinaires deviennent nombreuses. L'examen de ce réseau historique montre qu'il se superpose au schéma théorique.

A) *Les sciences de l'écriture.* — Elles concernent la spécificité de l'écrit : système d'écriture, système d'inscription, système graphique et le document manuscrit. Des passerelles ont été établies, soit entre ces champs d'études, soit avec les sciences de la création de l'écrit. L'histoire des systèmes d'écriture étudie les techniques anciennes avec la paléographie (35 A*c*). Mais elle ne pouvait ignorer les supports (39), les systèmes d'inscription et les systèmes graphiques, du fait qu'elle examinait des objets écrits. Aussi bien la paléographie a partie liée avec la sigillographie, la numismatique, l'épigraphie, la papyrologie et la codicologie (39 A*c*) d'une part, avec la calligraphie d'autre part.

Son développement l'obligeait à entrer en contact avec les sciences de la production d'un écrit : philologie, grammatologie, etc. ; à s'élargir à l'étude des langages et des codes scripturaux modernes.

A l'inverse, les sciences du graphisme n'offrent pas un développement aussi intégré. La graphologie

(38 B*a*B*b*), beaucoup plus préoccupée par l'explication psychophysiologique des formes écrites que par leur intérêt esthétique, a peu développé ses relations avec la calligraphie et la sémiologie typographique (38 B*c*B*g*). Il en est de même de ces dernières par rapport à l'art et au mouvement du Signe, les préoccupations techniques l'emportant sur le souci artistique et *vice versa*.

B) *Les sciences de la production des écrits.* — La production d'un écrit (chap. 4) comporte une série de phases successives et d'approches scientifiques différentes. La procédure de développement a été plutôt de nature rayonnante à partir des sciences précédentes ; dans certains cas, comme pour les études littéraires, un lien a été établi avec les sciences de la reproduction des écrits. La relation de la pensée et de l'écrit fait l'objet de la grammatologie (32-35 B*a*). Mais on a vu combien cette discipline s'était isolée de l'histoire de l'écriture et de la philologie. Cette dernière qui a pour objet d'étudier la langue écrite (33, 34, 35 *ba*) est reliée aux sciences de l'écriture mais distincte de la grammatologie.

L'étude des littératures écrites (34) offre l'exemple d'un double développement, à la fois axial et rayonnant, fondé sur la philologie et la rhétorique. Elle s'est étendue à l'histoire littéraire, à la biographie des auteurs, à la périodicité littéraire, etc. (34 A*c*), puis à la littérature comparée (34 A*a*), enfin à la sociologie de la littérature (34 A*c*) (de Mme de Staël à L. Goldmann en passant par Taine, Plekhanov, Lukacs, etc.), et à la sociologie de la culture (Bourdieu, Passeron, Chartier, etc.). Cet axe de développement concerne le texte.

Une autre orientation commence avec la fin du XIXe siècle. Elle vise à établir des relations avec les sciences de l'édition et du graphisme au service de la critique littéraire ; avec la bibliographie matérielle (Bowers) et la textologie (34, 35, 41, 42 B*c*) (R. Laufer,

Introduction à la textologie. Vérification, établissement des textes, Paris, Larousse, 1972) ; avec les sciences de la communication comme on l'a dit plus haut, au niveau de la lecture ; avec la sociocritique (34, 44, 5 A*e*). Contrairement aux sciences de la littérature les disciplines qui se sont constituées pour étudier la relation de l'écrit et de l'image se sont développées séparément : asémiologie graphique et agraphique de J. Bertin (38 B*d*) ; asémiologie typographique de F. Richaudeau, R. Gid, L. Mandel et de G. Blanchard (37, 38 B*d*), etc.

C) *Les sciences de la reproduction des écrits.* — Elles correspondent aux sciences bibliologiques initiales, c'est-à-dire aux sciences du livre imprimé et à la chaîne de reproduction. Comme pour les sciences de l'écriture et de la production de l'écrit, les sciences de la reproduction des textes ont fait l'objet de disciplines nombreuses et d'axes de recherche divers : sociologie du livre (4 A*e*) ; psychologie bibliologique et de la communication (1*a* 5 B*a*) ; économie de l'imprimé (22, 23 A*d*) ; bibliothéconomie et bibliothécologie (44 B*k*) ; géographie de l'imprimé (22, 23 A*a*). Ces axes ont établi aujourd'hui des passerelles nombreuses.

La sociologie du livre ou bibliologie sociologique a pour objet d'étudier la chaîne de reproduction des écrits considérée comme une organisation économique et technique, sociale et culturelle. Elle est à l'origine de la bibliologie de G. Peignot. Son schéma a été repris par P. Otlet dans l'entre-deux-guerres. Elle s'est développée en France, vers les années 1960 grâce à R. Escarpit (*Sociologie de la littérature*, Paris, PUF, coll. « Que sais-je ? ») et à J. Dumazedier et J. Hassenforder (*Eléments pour une sociologie comparée de la production de la diffusion et de l'utilisation des livres,* Paris, Bibliog. de la France). La recherche s'est ensuite étendue aux deux extrémités du domaine. En amont, vers les sciences de la production de l'écrit principalement avec la sociologie de la littérature, en apportant à celle-ci la dimension globale du système de reproduction et de communication. C'est le cas avec R. Escarpit, A. Memmi, etc. A l'autre extrémité, la sociologie du livre débouche sur une cascade de disciplines investies successivement. C'est, d'abord, la psychosociologie de la lecture (5 A*b*) (R. Escarpit, N. Robine et A. Guillemot, *Le livre et le conscrit*, Centre de Sociologie des Faits littéraires, Bordeaux, Sobodi, 1966 ; J. Hassenforder, Les enquêtes du SNE ; N. Robine, *Les jeunes travailleurs et la lecture*, Paris, Ministère de la Culture, 1983, etc.). La lecture renvoie alors à la distribution du livre, aux libraires et aux points de vente. Ce champ d'étude constitue une discipline, la géographie de la distribution de l'écrit (43 A*c*), qui n'a cessé de se développer : *Atlas de la lecture à Bordeaux* par R. Escarpit et M. Vagne-Lebas (Bordeaux, Maison des Sciences de l'Homme d'Aquitaine, 1976) ; à Lyon par H. J. Martin et ses collaborateurs ; enfin récemment avec *L'offre du livre à Paris* (Paris, BPI, 1982) de Martine Bom, Nelly Feuerhahn et Alexandre Laclau. Elargissant sa problématique dans la direction de la communication R. Escarpit devait publier *L'écrit et la communication* (Paris, PUF, coll. « Que sais-je ? », 1973).

Un autre secteur de la recherche concerne la psychologie bibliologique (1 *a*, 5 A*h*B*a*). La relation des mentalités des auteurs et des lecteurs fit l'objet dès la fin du XIXe siècle des travaux du Russe N. Roubakine. Elle se développe ensuite, notamment vers la bibliologie politique (1 *a*, 5 B*f*) et vers la bibliothéconomie et l'organisation de la lecture (44 B*k*).

La psychologie bibliologique s'est scindée en deux parties. L'une fait l'objet des recherches sur la création littéraire (P. Debray-Ritzen, *Psychologie de la littérature et de la création littéraire*, Paris, Retz, 1977) au niveau de l'émission ; l'autre s'intéresse à la lecture au niveau de la réception. Les recherches effectuées dans cette dernière direction sont à la fois axiales et rayonnantes, comparables ainsi au développement des études sur la littérature.

C'est d'abord la physiopsychologie de la lecture (B*a*B*h* 5) et de la perception textuelle. Cette interrogation remonte au début du XXe siècle avec Javal. (*Physiologie de la lecture et de l'écriture*, Paris, F. Alcan, 1905. Rééd. Retz, 1978, avec une préface de F. Richaudeau). Elle fait l'objet aujourd'hui de certains des travaux de F. Richaudeau (*La lisibilité*, Paris, Denoël, 1969, etc.). Elle rejoint alors, par ses applications, les travaux sur la psychologie de l'alphabétisation (36 B*a*), sur les systèmes graphiques et les systèmes d'inscription (37, 38 B*k*) en prônant une typographie fonctionnaliste. Elle remonte ensuite et établit un lien avec les sciences de la production des écrits, la psycholinguistique scripturale (32, 33, 34 B*a*B*c*) (F. Richaudeau, *La linguistique pragmatique*, Paris, Retz, 1981).

Mais la perception visuelle renvoie au fonctionnement de la pensée dans l'acte de lecture. La psychologie de la lecture (5 B*a*), investie par Binet au début du siècle, recoupe aussi les recherches sur l'alphabétisation et sur la littérature dans la perspective de la création du sens (J. Leenhardt, *Lire la lecture : essai de sociologie de la lecture,* Paris, Le Sycomore, 1982).

La psychologie de la lecture débouche alors sur la psychosociologie de la lecture, c'est-à-dire sur les orientations et les contenus de la lecture en fonction des âges, des sexes et des milieux sociaux. Elle aboutit à la théorie des circuits lettrés et populaires (R. Escarpit). Elle rejoint alors et établit une passerelle avec la sociologie du livre. Elle s'ouvre sur la bibliologie économique et l'édition en offrant une méthodologie savante pour les études de marché et de commercialisation du livre.

En abandonnant l'aspect psychologique au profit de la sociologie, les études sur la lecture s'intéressent ensuite, avec la sociologie de la lecture (5 A*c*), à l'ensemble des conditions sociales, politiques, etc., qui permettent ou gênent son développement.

Toujours dans le cadre des sciences de la reproduction des écrits, mais située entre la littérature et la lecture, s'est développée l'étude de l'économie de l'écrit et de la bibliothéconomie.

La bibliologie économique (1-5 A*d*), qui étudie le document écrit sous ses aspects économiques et techniques, s'est développée assez tardivement. On l'a vue plus haut constituer un domaine particulier, au niveau de la reproduction et de la distribution, avec J. Hassenforder et J. Dumazedier. Elle s'est orientée depuis dans plusieurs directions : vers la géographie de la distribution, rejoignant alors la sociologie du livre ; vers l'étude du livre, comme marchandise culturelle, en relation avec les nouvelles technologies (A. Mattelart ; B. Miège) vers la bibliologie politique (A. Spire et J.-P. Viala, *La bataille du livre*, Paris, Ed. Sociales, 1976) ; vers la production éditoriale (J. Breton, *La littérature et le reste*, t. 1, Paris, ENSB, Centre de Paris, 1978) ; enfin, plus récemment vers les structures éditoriales (F. Rouet, *Les industries culturelles,* t. 1 : *Le livre*, Paris, Ministère de la Culture et de l'Environnement, 1977 ; J.-M. Bouvaist, *Les jeunes éditeurs, esquisse pour un portrait* et *Pratiques et Métiers de l'édition,* Paris, Promodis, 1986).

Toujours dans le secteur de la distribution, la bibliothéconomie (44 B*k*) constitue initialement une technique et un art de conserver les livres et d'administrer les bibliothèques. Son champ d'étude porte sur la bibliothèque, son rôle, les principes d'acquisition et de classification des documents où elle retrouve la bibliographie ; l'organisation matérielle de la bibliothèque, des magasins, des salles de lecture ; enfin des services de gestion et d'administration.

A mesure que la communication a pris de l'extension, la bibliothéconomie a dû se développer dans plusieurs directions. Au niveau des médias d'abord. Quand le livre a vu son champ se réduire au profit des autres catégories de documents, la bibliothéconomie s'est trouvée confrontée avec la photothèque, la discothèque, la filmothèque, la médiathèque. Elle a élargi son interrogation à la notion de « thèque ». Dans le même temps, l'utilisation de l'écrit s'élargissant à d'autres chaînes, a obligé la bibliothéconomie à étendre son champ de réflexion aux concepts de science de l'information, de technique documentaire, d'information scientifique et technique. Elle est ainsi progressivement conduite à prendre une position scientifique : la bibliothécologie, qui fait l'objet de recherche dans les pays d'Amérique latine.

D) *Les sciences des catégories d'écrits : la systémique bibliologique communicationnelle*. — Les sciences de l'écriture avaient renvoyé, en amont, vers les sciences de la création de l'écrit, et en aval, vers celles de leur reproduction. Au-delà se pose la question des sciences des catégories d'écrits, considérées comme réponses à une demande de communication. On retrouve alors un champ d'étude plus récent, qui s'est développé à mesure que la bibliologie est passée de la science du livre à celle de l'écrit, dans le cadre des sciences de la communication. Il s'agit de la systémique communicationnelle (2) et de la méthodologie présentée au chapitre précédent. Celle-ci à son tour comprend l'étude en soi et comparée de l'écrit manuscrit (21), imprimé non périodique (22) et périodique (23), institutionnel et documentaire (24), lumineux (25), informatisé (26).

E) *L'écrit et la société : la systémique bibliologique sociologique et la bibliologie politique*. — L'écrit avait renvoyé au cadre de sa production et de sa reproduction, puis aux diverses chaînes : manuscrite, imprimée, etc. Comme on l'a vu au chapitre précédent, il restait à positionner la bibliologie systémique communicationnelle dans un cadre global, celui de la société. L'idée s'était fait jour déjà dans la première moitié du XXe siècle. Elle s'est généralisée depuis

(*Le livre dans le Monde*, Paris, Retz, 1984). Il s'agit dès lors de considérer l'ensemble des faits sociaux comme responsables des diverses manifestations de l'écrit, des systèmes d'écriture et des systèmes graphiques, de l'amont et de l'aval de l'écrit et des chaînes successives. Pour la première fois le développement de la recherche n'est plus envisagé à partir d'une procédure empirique et rayonnante mais selon une investigation systématique (1-5 AB*k*).

Si la bibliologie politique constitue une perspective systématique d'étude de l'écrit il faut aussi remarquer qu'elle s'est développée dans des directions différentes et d'une façon rayonnante : le droit et le statut des auteurs (34 A*d*A*f*) (Michèle Vessillier-Ressi, *Le métier d'auteur = comment vivent-ils ?*, Paris, Dunod, 1962) ; le rôle des structures académiques (34 A*d*A*e*) ; l'organisation de la censure et les conséquences des politiques dominantes (4 A*f*) (A. Spire et J.-P. Viala, *La bataille du livre*, Paris, Ed. Sociales, 1976, et R. Debray, *Le pouvoir intellectuel en France,* Paris, Ramsay, 1974).

F) *L'écrit et le temps : la bibliologie historique.* — L'apparition et le développement des sciences bibliologiques ont, jusqu'ici, été abordés dans la perspective structurelle de la bibliologie systémique, quand bien même certaines d'entre elles comportaient une dimension historique. On a pu constater (chap. 5) que la bibliologie historique (1 à 5 A*c*) s'était progressivement constituée en investissant chacune des parties de la systémique : histoire de l'écriture (35 A*c*) ; histoire de l'écrit manuscrit et imprimé périodique et non périodique (21, 22, 23 A*c*) ; histoire économique du livre (4 A*c*) ; histoire de la communication écrite (1, 31, 32, 33, 5 A*c*) ; histoire sociologique du livre (22 A*c*A*e*) ; histoire politique du livre (32 A*c*A*f*). La bibliologie historique a donc suivi elle aussi un axe de développement important, comparable à celui de la bibliologie systémique.

4. **La problématique actuelle de la bibliologie et des sciences bibliologiques.** — La question essentielle à laquelle la bibliologie doit répondre est celle du rôle de l'écrit dans l'information et la communication en relation avec les nouvelles technologies et l'évolution sociopolitique des sociétés.

Cette problématique générale s'ouvre sur les différentes composantes de la bibliologie systémique. Par rapport à la sémiologie, l'écrit doit préciser sa fonction et ses relations avec l'information, la langue et l'oralité, l'image et le geste. Une typologie expérimentale doit être élaborée.

Par rapport aux supports et aux outils de production et de reproduction, la recherche doit être menée au niveau des catégories de supports (documentographie et médiagraphie) et des nouvelles technologies (l'écrit et l'audio-visuel ; l'écrit et l'informatique). Par rapport à la typologie des écrits, il faut d'abord préciser les relations de l'écrit manuscrit, imprimé non périodique, documentaire et institutionnel, lumineux et informatisé. Il convient ensuite d'expliquer les transformations introduites dans le système de reproduction (édition, diffusion) et de communication (bibliothèques) par ces diverses catégories de chaînes et d'écrits. Il faut, enfin, introduire la systémique pour expliquer chaque catégorie de documents écrits.

Par rapport à la société, il est nécessaire de développer la systémique sociologique et la bibliologie politique, afin de clarifier la relation entre les pouvoirs dominants et dominés et l'écrit aux plans national et international.

III. — **La méthodologie bibliologique : la bibliométrie**

L'histoire des sciences a mis en évidence le rôle fondamental des méthodes de recherche dans la constitution des disciplines. Elle montre la nécessité de faire appel, sans *a priori*, à l'ensemble des moyens d'investigation. Mais elle observe également qu'une science n'est vraiment adulte qu'au moment où elle a mis au point sa méthodologie propre. Ce qui vaut d'une manière générale peut aussi être appliqué à la bibliologie. Il convient donc de s'interroger sur le rôle des méthodes exogènes à la bibliologie relevant des autres sciences intéressées par l'écrit et des méthodes endogènes spécifiques à la bibliologie.

1. **La méthodologie bibliologique exogène.** — La première et la plus nouvelle dans le cadre de l'étude de l'écrit est, sans doute, la systémique.

Celle-ci repose sur les deux concepts principaux de demande et de réponse, de fonction et d'organes comme on l'a vu précédemment. On construit des modèles et schémas bibliologiques qui rendent compte des phénomènes.

La systémique renvoie à chacune de ses composantes, aux sciences qui s'en occupent et aux méthodologies de ces sciences. Il est évident qu'une étude totale ou partielle du champ d'étude de l'écrit, du point de vue géographique, démographique, historique, économique, sociologique, etc., doit faire appel aux méthodes employées dans chacune de ces disciplines, qu'elles soient descriptives ou/et statistiques.

2. **La méthodologie bibliologique endogène : la bibliométrie.** — Ce qui est spécifique à la communication écrite c'est l'écrit lui-même considéré comme médium. Sa méthodologie propre c'est, comme on l'a vu, la bibliographie et, plus généralement aujourd'hui, la bibliographie médiagraphique. Celles-ci constituent à la fois des techniques et des sciences descriptives. Comment aborder l'étude bibliographique de l'écrit ? On retrouve ici les méthodes qualitatives et quantitatives ou statistiques et le long débat sur leur valeur réciproque. La constitution d'une science humaine repose toujours sur le même souci :

tenter de trouver une explication des faits. Le modèle auquel on se réfère est généralement celui des sciences de la nature. Ce n'est pas seulement affaire de positivisme mais d'exemplarité des sciences dites exactes. Autrement dit, la procédure à employer consiste à trouver des moyens objectifs de mesure. Ceci est une condition méthodologique pour qu'une discipline passe du stade de la théorisation et de la philosophie à une démarche scientifique.

L'introduction de la statistique dans les sciences humaines, a été l'une des conditions de leur essor aux XIXe et XXe siècles.

Néanmoins la statistique n'élimine pas totalement, tant s'en faut, la subjectivité. Celle-ci intervient au départ dans les présuppositions et les hypothèses, et à l'arrivée, après l'observation, au niveau des interprétations. La méthode statistique exige souvent des travaux très longs qui rebutent les esprits rapides. Enfin et surtout elle introduit, à la longue, une sécheresse technique qui prive trop souvent le statisticien des ouvertures que procure la réflexion personnelle.

Aussi bien peut-on observer, dans l'histoire des méthodologies spécifiques de l'écrit, une évolution en deux grandes périodes : celle où se constitue progressivement la bibliométrie à travers le XIXe et le XXe siècles ; celle plus récente, principalement depuis les années 1968-1975 où la bibliométrie est remise en question au profit d'une approche complémentaire plus subjective et personnelle, qui réintroduit la richesse de l'imagination créatrice sans pour autant écarter l'utilisation de la statistique du livre. Elle s'ouvre sur le concept de transdisciplinarité.

Comme pour d'autres aspects de la bibliologie c'est encore à Paul Otlet que l'on doit la création du terme de bibliométrie entre les deux guerres. L'usage du mot s'est étendu à la langue anglaise où l'on parle de bibliometrics. Son champ d'application s'est élargi à d'autres indices que l'indice bibliographique, notamment à ceux qui relèvent du lexique (cf. *Revue Scientometrics*).

Initialement la bibliométrie concerne l'application de la statistique, arithmétique puis modéliste, à la bibliographie. Il s'agit alors de la statistique de la production des imprimés et, plus généralement, de la production intellectuelle.

Deux orientations se sont manifestées : l'une est déductive. Elle consiste (comme tenta de le faire un anonyme cité par Peignot, puis Otlet, et son disciple Iwinsky) à élaborer des statistiques internationales rétrospectives hypothétiques à partir d'informations partielles et de calculs mathématiques simples.

La seconde voie est historique. Timidement certains auteurs, séparés dans le temps, s'interrogèrent sur la production française ou internationale du livre. C'est le cas de Balbi en 1828, de Hatin en 1866, de Babelon en 1878. Une seconde phase est introduite par l'élaboration de la statistique internationale des imprimés par Röthlisberger. Dès ce moment toute la recherche internationale vise à organiser des structures officielles. C'est, dans l'entre-deux-guerres, l'intervention de l'Institut international de la Coopération intellectuelle de la Société des Nations. Après la seconde guerre mondiale enfin, l'Unesco prend la suite de la SDN. Tout l'effort collectif consiste à créer un schéma bibliographique définissant chaque indice de façon à élaborer des statistiques internationales comparatives. En allant plus loin, le problème des sources de la statistique bibliographique était posé.

E. Morel, dès 1909, avait entrepris la critique du Dépôt légal français. Après Lemaître, on a procédé à l'analyse du Dépôt légal de la période monarchique (R. Estivals, *Le Dépôt légal sous l'Ancien Régime de 1537 à 1791,* Paris, Rivière, 1961). L'exploitation des sources bibliographiques (R. Estivals, *La statistique bibliographique de la France sous la Monarchie au XVIII*^e^ *siècle*, Paris, Mouton, 1965) devait conduire à la théorie des indices bibliométriques (*La Bibliométrie bibliographique*, Lille, Service de Reproduction de l'Université de Lille III, 1971). Plus récemment fut introduite la méthode algébrique des modèles mathématiques par l'Allemand Meyer-Dohm et le Hollandais Van Den Brinck. Cette procédure a été développée depuis par R. Ducasse (*Méthodes du traitement des données bibliométriques pour la gestion des systèmes informatisés,* Bordeaux, Thèse de doctorat de 3e cycle, 1978).

Cependant la mesure du livre ne devait pas s'en tenir au seul indice bibliographique. L'écrit, l'imprimé, peuvent être abordés sous différents angles. Certes la bibliographie signalétique (auteur, imprimeur, éditeur, volume, format, pages, etc.) est composée d'indices spécifiques du livre. Mais le texte et notamment les livres peuvent faire l'objet d'une approche quantitative plus fine que les classifications bibliographiques existantes. D'où l'intervention de la lexicométrie. C'est ce qui fut réalisé, pour certains périodiques, avec une étude du circuit d'avant-garde (R. Estivals et J.-C. Gaudy, *L'avant-garde, Etude historique et sociologique des publications ayant pour titre l'avant-garde*, Paris, BN, 1968).

Mais le livre comporte aussi une illustration. L'analyse quantitative devait être étendue à l'image fixe grâce à la bibliométrie graphique (R. Estivals et J.-C. Gaudy, *L'évolution graphique des plans de Paris, introduction à la bibliologie graphique,* Paris, SBS, 1983).

IV. — L'épistémologie bibliologique : la théorie de la schématisation

Une science ne saurait être définitivement constituée sans répondre à une question première à partir de laquelle tout le reste se développe : le mode de connaissance des phénomènes qu'elle étudie. Toute interrogation de ce genre relève à la fois de l'épistémologie générale et de l'épistémologie spécifique à cette discipline. L'apport de la bibliologie à l'épistémologie générale c'est, justement, la théorie de la schématisation.

Elle a fait l'objet, d'une manière systématique, des travaux du groupe de recherche sur le schéma et la schématisation dès les années 1960 et, depuis 1975, de la Société de bibliologie et de schématisation.

Elle anime l'ensemble de cet ouvrage. On a pu lire, dans les chapitres précédents des applications de la théorie de la schématisation en bibliologie : au plan de la théorie de la connaissance et de l'écriture en grammatologie ; au niveau méthodologique avec la systémique bibliologique, la théorie des schémas et des modèles bibliologiques ; dans le cadre de la bibliométrie ; au plan artistique du mouvement du signe avec l'art du schéma.

V. — La bibliologie appliquée

La théorie de la schématisation est donc la clé de voûte de la bibliologie. Au-delà, il convient de revenir aux faits et à l'action. Plusieurs questions se présentent alors : la relation de la bibliologie et de l'activité professionnelle ; l'enseignement bibliologique ; l'organisation de la recherche.

La bibliologie appliquée, comme toute démarche scientifique générale, vise à utiliser les résultats obtenus par la bibliologie fondamentale dans le cadre de la vie économique, sociale et culturelle de l'écrit. La dialectique de cette procédure est bien connue. L'exemple de Pasteur est célèbre. A partir des problèmes biologiques posés par la vie (la maladie de la rage, etc.), Pasteur donne des explications grâce à sa théorie microbienne ; il fournit des applications avec la théorie des vaccins. Les résultats obtenus permettent de développer les industries pharmaceutiques et bio-chimiques. L'application de cette méthodologie et la création d'une bibliologie appliquée posent une série de problèmes. Le premier concerne l'état d'avancement de la bibliologie fondamentale. On ne peut appliquer que des théories vérifiées. La bibliologie est encore très souvent à la limite de cette situation. Néanmoins dans des secteurs où certaines sciences bibliologiques ont déjà des acquis théoriques suffisants, des applications ont vu le jour : en physiopsychologie de la lecture par exemple on a pu développer des applications dans les méthodes de lecture en créant la lecture rapide ; en psychosociologie de la lecture les résultats acquis ont pu, parfois, être appliqués dans l'étude de marché du livre, ou la politique d'acquisition des bibliothèques, etc.

La seconde question concerne l'établissement de relations entre les chercheurs et les milieux professionnels. Ici comme ailleurs dans le domaine économique et social, les liens sont plus difficiles à établir. Les préventions de part et d'autres sont grandes. Le milieu universitaire reproche au milieu professionnel de ne pas tenir compte de l'importance de la recherche et celui-ci a tendance à se défier des chercheurs quitte à développer un secteur plus appliqué.

La troisième condition consiste à élaborer une méthodologie de la recherche bibliologique appliquée. Celle-ci repose sur plusieurs phases successives : prise de contact ; définition du problème ; projet d'action des responsables professionnels ; observation attentive des faits ; catégorisation et élaboration de typologies ; intervention de l'une des théories de la bibliologie fondamentale, variable en fonction du domaine, mais faisant intervenir, le plus souvent, la systémique bibliologique et la bibliométrie ; élaboration de techniques adaptées pour modifier l'ordre des faits dans le sens souhaité ; application et critique ; ajustement. Très souvent la bibliologie appliquée débouche sur la formation continue puis sur la formation initiale. On donnera ici un exemple d'application récent. Il s'agissait de créer des méthodes rédactionnelles sur la composition des écrits commerciaux de l'édition (dossier de presse, lettre commerciale, 4e page de couverture d'un ouvrage, prière d'insérer, etc.).

Après avoir utilisé la méthode précédente dans l'étude d'une série de documents, des techniques rédactionnelles furent mises au point et firent l'objet de stages de formation (*Schéma et schématisation*, nº 21, Paris, SBS, 1984).

Il est indispensable que la bibliologie appliquée puisse se développer. Une science n'est en effet assurée de ses théories que lorsqu'elle peut les vérifier dans des applications.

VI. — **L'enseignement bibliologique et professionnel**

Cet enseignement a pour but de former les nouvelles générations qui devront remplacer les travailleurs de l'écrit aujourd'hui en activité. Il vise, soit à former, en petit nombre, des chercheurs et des enseignants en bibliologie, soit d'une manière beaucoup plus large des professionnels de tout niveau pour les diverses chaînes de l'écrit. En ce sens l'enseignement bibliologique et professionnel fait suite à la bibliologie appliquée et à l'enseignement continu. Il ne s'agit pas encore de l'apprentissage de nouvelles techniques ponctuelles mais d'une formation complète, la formation initiale.

L'histoire de l'enseignement bibliologique et professionnel du livre et de l'écrit, comme l'histoire de la bibliologie dont elle constitue une partie, est récente. S'il existe ici et là quelques articles et quelques programmes dans les revues spécialisées depuis la fin du XIXe siècle, on peut dire que l'interrogation rétrospective sur cette question ne remonte guère avant 1968 et l'élargissement rapide de l'enseignement secondaire et supérieur du livre. Un premier essai fut effectué en 1968 lors de la création de l'enseignement des métiers du livre à l'IUT B de Bordeaux (*L'unité d'enseignement des métiers du livre*, IUT, Bordeaux, ILTAM, 1969). Des synthèses partielles ont été publiées dans la revue *Schéma et schématisation*.

La première tentative de synthèse générale, au plan national fut réalisée avec le Colloque du Centre Pompidou en février 1984 (*Le livre en France, La recherche et l'enseignement*, Paris, Retz-SBS, 1984). La même année, Jacques Breton s'était expliqué sur des problèmes de même ordre dans *Le statut de la bibliologie* (Massy, Bibl. Pub., 1984). Plus récemment on trouve des indications sur cette question mais limitées à l'édition, dans l'ouvrage de J.-M. Bouvaist publié en 1986 (*Pratiques et métiers de l'Edition*, Paris, Promodis, 1986).

Ces divers travaux aboutissent à plusieurs conclusions : l'enseignement professionnel et scientifique du livre et de l'écrit est récent. Le XIXe siècle voit se constituer l'Ecole des Chartes, en 1821, pour les archives et les bibliothèques ; les premiers établissements d'enseignement de l'imprimerie en 1881 (Colbert-Tourcoing) et 1889 (Ecole supérieure Estienne). Quelques écoles, timidement, sont créées dans l'entre-deux-guerres. C'est après le second conflit mondial vers les années 1960-1965 que les établissements se multiplient dans toutes les directions en relation avec la croissance démographique, économique et scolaire. Ce n'est donc pas un hasard si les bilans didactiques accompagnent ce mouvement. Cet enseignement possède, à l'heure actuelle, des traits caractéristiques marqués. L'enseignement scientifique de la bibliologie s'est progressivement séparé d'autres disciplines : littérature, histoire, sociologie, psychologie, etc. Il s'est intégré à l'enseignement des sciences de l'information et de la communication.

L'enseignement professionnel est sectorisé en fonction de la division du travail. Il existe des enseignements pour la littérature, pour les métiers des arts, des techniques graphiques, de l'imprimerie, de l'édition, de la librairie, des bibliothèques et de la documentation. Les plus importants en volume sont ceux de l'imprimerie et des bibliothèques. Cet enseignement est majoritairement organisé par l'Etat ou les municipalités. Chaque secteur principal est structuré d'une manière pyramidale et hiérarchique, tant au niveau des établissements que des diplômes. Ainsi pour l'imprimerie, les centres d'apprentis et les lycées d'enseignement professionnel délivrent des CAP ; les lycées techniques, des brevets de techniciens. En haut de la pyramide l'Ecole supérieure Estienne fait passer des brevets de techniciens supérieurs et s'ouvre sur l'enseignement supérieur.

Il en est de même pour l'enseignement des bibliothèques avec les centres régionaux de formation professionnelle (concours de bibliothécaire adjoint et certificat d'aptitude à la fonction de bibliothécaire) ; l'ENSB (l'école nationale supérieure des bibliothécaires) ; enfin l'Ecole des Chartes forme des archivistes-paléographes. L'édition et la diffusion font l'objet d'enseignement d'organismes privés (Asfored ; Asfodelp), des IUT (Bordeaux 3, etc.), de maîtrises et de DESS (Paris 13, etc.). L'enseignement de la documentation est donné également dans les IUT formant aux carrières de l'information, et dans certaines universités ou grands établissements.

Les problèmes actuels posés par cet enseignement sont de deux ordres. D'une part, il devient urgent d'établir des passerelles didactiques entre les institutions privées et publiques relevant de formations professionnelles ou/et scientifiques différentes. L'enrichissement des uns par les autres est devenu nécessaire. Il faut, d'autre part, repenser l'ensemble du système didactique, à mesure que les nouvelles technologies se généralisent, que les chaînes de l'écrit se font plus nombreuses et s'interpénètrent, que des métiers disparaissent et que de nouveaux font leur apparition.

VII. — **L'organisation de la coopération bibliologique nationale et internationale**

La science se développe par l'échange des idées et donc, par la coopération. Ce fut la grande intention qui présida à la création de l'Institut de Coopération intellectuelle de la SDN dans l'entre-deux-guerres. C'est aujourd'hui la raison d'être de l'Unesco.

Dans le domaine du livre la coopération internationale s'est développée dès la fin du XIXe siècle grâce à Paul Otlet. Sur le plan des bibliothèques on sait le rôle important de la Fédération internationale des Associations de Bibliothécaires (FIAB) dans l'entre-deux-guerres lors de l'élaboration des schémas bibliométriques de la statistique internationale des imprimés. L'ATYPI de son côté s'occupe de la coopération internationale sur le plan typographique, etc. L'histoire des sciences montre une fois encore comment l'organisation de la coopération, sur le plan technique, prélude à l'organisation internationale sur le plan scientifique.

L'organisation de la coopération, sur le plan de la bibliologie, se développe dans la suite des précédentes, en relation normale avec elles mais d'une manière distincte puisque son objectif est différent.

Pour que cette organisation voie le jour plusieurs conditions sont nécessaires. La première concerne l'état d'avancement de la bibliologie. Il faut qu'il soit suffisant. Cette situation est acquise à partir du moment où une théorie générale, unificatrice des sciences fragmentaires, existe. C'est bien ce qui est en train de se produire, en France notamment. Cette unification théorique, lorsqu'elle a suffisamment pénétré les esprits, conduit, par voie de conséquence à les ouvrir au projet de coopération.

La seconde condition c'est l'existence de travaux de synthèse sur les plans nationaux et internationaux. L'enquête menée sur la situation du livre et de la recherche sur le plan international a permis d'établir un premier bilan *(Le Livre dans le Monde)*. Sur le plan français le Colloque du Centre Pompidou (1984) a clarifié la situation nationale. L'organisation de colloques régionaux ou bilatéraux donne une première approche concrète. Citons, dans le premier cas, le

Colloque régional sur l'enseignement et la recherche bibliologiques et l'enseignement des métiers du livre en Afrique organisé en 1985 par l'Institut de Presse et des Sciences de l'Information de Tunis (MM. Chenoufi, Ben Cheikh et El Fani) et les colloques bilatéraux *franco-bulgare* (1981, Mme Savova) et *franco-hongrois* (1985, M. Rozsa).

La troisième condition c'est la publication des résultats de ces recherches sur le plan international. Le *Bulletin d'informations internationales de bibliologie* (SBS) permet, déjà, depuis 1985, d'informer la communauté internationale des bibliologues. Une revue internationale de Bibliologie est en préparation.

Une quatrième condition est l'organisation de comités nationaux ayant pour but de mettre en commun les échanges d'informations et les recherches. Il existe déjà plusieurs de ces comités nationaux. Enfin la dernière étape doit être la constitution d'une Association internationale de Bibliologie.

C'est grâce à ces structures, en relation avec les autres organisations techniques de l'écrit et avec l'Unesco que la bibliologie pourra se développer internationalement.

BIBLIOGRAPHIE

J. Breton, *La littérature et le reste*, t. 1, Paris, ENSB, Centre de Paris, 1978.
— *Le statut de la bibliologie*, Massy, Bib. Pub., 1984.
J. Derrida, *De la grammatologie*, Paris, Ed. de Minuit, 1967.
J. Dreyfus, F. Richaudeau, R. Ponot, *La chose imprimée*, Paris, Retz, 1985.
R. Escarpit, *Sociologie de la littérature*, Paris, PUF, coll. « Que sais-je ? », 1958.
— *L'écrit et la communication*, Paris, PUF, coll. « Que sais-je ? », 1973.
R. Estivals, *La bibliométrie bibliographique*, Lille, Service de reproductions des thèses de l'Université de Lille III, 1971.
— *Schémas pour la bibliologie*, Paris, SEDIEP, 1976.
— *La bibliologie*, t. 1 : *La bibliométrie*, Paris, SBS, 1978.
— *La bibliologie graphique*, Paris, SBS, 1983.
— *Le livre dans le Monde*, Paris, Retz, 1984.
J. Guenot, *Ecrire, guide pratique de l'écrivain, avec des exercices*, Paris, L'auteur, 1977.
C. Higounet, *L'écriture*, Paris, PUF, coll. « Que sais-je ? », 1955.
E. Javal, *Physiologie de la lecture et de l'écriture*, Paris, Alcan, 1905.
R. Laufer, *Introduction à la textologie. Vérification, établissement des textes*, Paris, Larousse, 1972.
Le Livre en France (La recherche et l'enseignement), Paris, Retz, 1984.
M. Mac Luhan, *La galaxie Gutenberg*, Paris, Mame, 1966.
L. N. Malclès, *La bibliographie*, Paris, PUF, coll. « Que sais-je ? », 1962.
H.-J. Martin, *Livre, pouvoirs et société à Paris au XVIIe siècle*, Paris, Droz, 1969.
H.-J. Martin et R. Chartier, *Histoire de l'édition française*, Paris, Promodis, 1982.
J. Meyriat, Document, documentation, documentologie. *Schéma et schématisation*, n° 14. Paris. SBS. 1986.
A. Moles (sous la direction de). *La communication*. Paris, Retz, 1972.
P. Otlet, *Traité de documentation, le livre sur le livre, théorie et pratique*, Bruxelles, Van Keerberghen, 1934.
G. Peignot, *Dictionnaire raisonné de bibliologie*, Paris, Villiers, 1802.
R. Ponot, *Les techniques graphiques (avec 15 séries de diapositives)*, Paris, ministère du Commerce et de l'Artisanat, 1975.
F. Richaudeau, *La lisibilité - langage - typographie - signes... lecture*, Paris, Denoël, 1969.
— *Linguistique pragmatique*, Paris, Retz, 1981.
N. A. Roubakine, *Introduction à la psychologie de la création des livres, de leur distribution et circulation*, Paris, 1922.
Schéma et schématisation. Revue de bibliologie, Paris, SBS :
N° 14 : « L'écrit et le document », 1981.
N° 15 : « Colloque franco-bulgare », 1981.
N° 18 : « Le livre à l'Est », 1983.
N° 19 : « Les sciences de l'information et de la communication », 1983.
N° 22 : « Vers la bibliologie internationale », 1985.
N° 24 : « L'écrit informatisé », 1986.
Ph. Schuwer, *Dictionnaire de l'édition - Français/Anglais. Anglais/Français*, Paris, Cercle de la Librairie, 1977.

TABLE DES MATIÈRES

Imprimé en France
Imprimerie des Presses Universitaires de France
73, avenue Ronsard, 41100 Vendôme
Octobre 1987 — N° 32 920